Hubert Klimko-Dobrzaniecki

Pornogarmażerka

wydawnictwo
a
b

Agnieszce

Zimne nóżki

Trzech rzeczy bałem się w życiu najbardziej: nóżek w galarecie, wojska oraz języka niemieckiego. Pamiętam takie jedno przyjęcie w naszym mieszkaniu i zniecierpliwione głosy biesiadników:

– Maryla! No co z tymi zimnymi nóżkami! Daj coś na zęba!

Byłem przekonany, że rodzice poćwiartowali kogoś z naszej kamienicy. Wsadzili do galarety i za chwilę będą go jedli. Spociłem się ze strachu i zakryłem po czubek głowy kołdrą. Po chwili usłyszałem głośne „noooo!". Ze stołowego zaczęły docierać następne oznaki zachwytu:

– Wyszły ci te nóżki, Maryla! Są pyszne! No to, panowie i panie, zdrowie! Siupniem pod mięsko zdechłe!

A potem nastała cisza. Nagła i straszna. Teraz wiem, że spowodowana kontrolowanym wdechem toastowym. Ale wtedy myślałem, że ucichli z szacunku dla nieboszczyka. I znowu zrobiło się głośno i znowu cisza. Tak na przemian, aż ze strachu zasnąłem. Następnego dnia z wielką podejrzliwością obserwowałem rodziców. Kiedy wyszli na balkon, poszedłem do kuchni i w koszu na śmieci próbowałem odszukać szczątki zabitego sąsiada. Pomyślałem, że skoro Trojanowski zawsze im działał na nerwy, to pewnie jego nóżki zjedli. Nawet przygotowałem papierową torbę, bo chciałem w nią zapakować odnalezioną czaszkę, wymknąć się z mieszkania i odwiedzić z dowodem zbrodni milicjanta Kowalczyka. Z tego Kowalczyka to było niezłe ziółko. Przynajmniej raz w tygodniu bił żonę Alinę. Ujadała na cały dom, a on wykrzykiwał: „Zaraz ci ten wielki tyłek rozpołowię, suko jedna!". Ale na milicjanta nie było bata. Po prostu wszyscy się go bali. Alina przychodziła do moich rodziców. Z podbitymi oczami, uśmiechnięta, piła kawkę i opowiadała, jaki to numerant z tego jej męża. Kiedyś wsadził jej pistolet do tyłka i nacisnął spust. Spociła się ze strachu, myśląc, że to koniec, że kulka wyleci przez głowę razem z mózgiem. „Ale mój stary nie nabił pistoletu. Hi, hi, hi", śmiała się, a moi rodzice pobledli. Nie znalazłem czaszki Trojanowskiego, za to spotkałem sąsiada na klatce i pierwszy raz w życiu nie usłyszał ode mnie „dzień dobry". Stałem przed nim i mierzyłem go od pasa w dół. Był nietknięty. Kiedy dorosłem i usłyszałem o wielu rzeczach, a niektóre z nich osobiście przeżyłem, uświadomiłem sobie, że Kowalczyk z Aliną stanowili bardzo udany i szczęśliwy związek sado-macho. A co z nóżkami? To się chyba fachowo nazywa dziecięca trauma. Kiedy uczestniczę w imprezie z wódką, a gospodarze serwują nóżki na zagrychę, to choć towarzystwo jest doborowe i pani domu zapewnia, że wieprzowinka badana, z najlepszej ubojni, od najlepszego rzeźnika, że dodała czosnku, groszku, marchewki, że galaretka jest naturalna, znaczy z tego, co wyciekło z chrząstek podczas gotowania, jednak grzecznie się wykręcam i zagryzam chlebem.

Druga trauma to wojsko. Armii nie lubię, a w szczególności tej, która prowadzi przymusowy pobór. Bo jeśli ktoś ma sadystyczne powołanie i lubi oraz musi sobie postrzelać do drugiego człowieka, ewentualnie do dużej grupy ludzi, to armia zawodowa ma jakiś sens. Ja nie lubię, ale jak każdy osiemnastolatek zostałem wezwany na komisję poborową. Komisja urzędowała w mieście Dzierżoniów Śląski. W rynku. Nie chciałem, ale musiałem, bo jeślibym sprawę olał, to dostałbym wezwanie na kolegium, grzywnę, a później i tak musiałbym się zgłosić. Dobrą stroną tego cyrku było to, że dostawało się wolne ze szkoły, a jeśli poborowy oddał honorowo krew, to dwa dni, kilka tabliczek gorzkiej czekolady i bloczki na obiad w barze Zodiak. Czekając w pomieszczeniu rekrutów, zauważyłem kilku garbatych. Wtedy poczułem jeszcze większą odrazę do tej instytucji, bo zrozumiałem, że to wojsko znowu nie obroni nas przed Niemcami. A kiedy ci garbaci wychodzili z sali komisyjnej z kategorią A1, wiedziałem, że taka armia nie tylko nie uchroni nas przed ponownym atakiem Niemców, ale nawet nie stłumi zamieszek mniejszości czeskiej zamieszkującej wieś Lewin Kłodzki oraz okolice Kudowy-Zdrój w liczbie czterdziestu pięciu osób. Z czystej ciekawości zapytałem jednego z garbatych, dlaczego mimo kalectwa, tak widocznej wady, przyznali mu najwyższą kategorię. On na to, że jest niż demograficzny i każdy żołnierz jest Polsce bardzo potrzebny. Nawet garbaty. Co więcej, był bardzo dumny ze swej kategorii i za Chiny nie chciał się odwoływać od decyzji komisji, wręcz czekał na bilet do wojska. Podejrzewam, że Ludowe Wojsko Polskie było jedyną organizacją, która w tamtych czasach potrafiła dowartościować garbatych. Ja ze względu na pobieranie nauk dostałem odroczenie. A1 też dostałem. Skorzystałem z szansy oddania krwi, obiadu w barze Zodiak, a czekoladę dałem mojej dziewczynie, która była bardzo ze mnie dumna. Oczywiście nawet jej nie wspomniałem, że tego dnia innych kategorii nie przewidywano. Ci, którzy skończyli zawodówkę, dostali bilety do jednostek. Narzeczone płakały, bo wyjeżdżali na drugi kraniec Polski. Potem z miejsca zachodziły w ciążę z innymi. Najgorzej było, kiedy chłopak z naszego miasteczka dostawał bilet do marynarki wojennej. Kompletna klapa. Po pierwsze, o ile inni służyli dwa lata, ten musiał trzy. Po drugie, nasze łodzie podwodne same się zatapiały. Po trzecie, jeśli nawet udało się przeżyć, eksmarynarz wracał z tatuażami na całym ciele. Po czwarte, nawet ktoś, kto wcześniej w ogóle nie pił, w marynarce zostawał alkoholikiem. No i po piąte, nawet marynarskie spodnie bez rozporka nie potrafiły uchronić ich przed syfem. Ja sobie przyrzekłem, że nigdy do tej organizacji nie trafię, a książeczkę wojskową schowałem w takie miejsce, że na długi czas zapomniałem o jej istnieniu. W liceum grałem w grupie punkowej i śpiewałem anarchistyczne teksty. Wszystko miałem gdzieś, bo naszym głównym słowem było słowo BUNT. Z dziewczyną jakoś nie wyszło. Ona jednak lubiła mundurowych i marzyła, że po maturze zgolę niebieskiego irokeza, zdejmę glany, obcisłe dżinsy i jupę moro, przestanę śpiewać brzydkie piosenki, obrażać Polskę i stanę się pragmatycznym człowiekiem. Złożę papiery do Wyższej Szkoły Wojsk Kwatermistrzowskich w Poznaniu i po czterech latach zostanę trepem w randze podporucznika. Marzyła też, że wcześniej uda się nam spłodzić dziecko, no i na trzecim roku dostaniemy mieszkanie od armii. Jak już zostanę podporucznikiem, to będę szybko awansował. Będę mądrym i przebiegłym złodziejem, może nawet dochrapię się stopnia pułkownika. Jeszcze trochę popracuję, a następnie przejdę na wcześniejszą emeryturę. I za te ukradzione pieniądze zbudujemy sobie willę gdzieś koło Srebrnej Góry, i będziemy wynajmować pokoje gościnne turystom. Syn się ożeni i uszczęśliwi nas wnukami. Na koniec umrę, a pogrzeb będzie za darmo, bo wojsko zapłaci.

Tak marzyła moja dziewczyna. Była szczera. Ja też, więc się zaczęło kończyć między nami zaraz po tym, jak zdałem maturę. Nie ogoliłem irokeza. Nie ściągnąłem ze stóp podróbek doktora Martensa. No i oczywiście nie próbowałem nawet myśleć o szkole wojskowej, a co dopiero ubiegać się o przyjęcie. Choć maturę miałem w kieszeni, zapisałem się do szkoły, która matury nie wymagała, a mianowicie do Dwuletniego Policealnego Studium Unasienniania Zwierząt w Henrykowie Śląskim. Kiedy mnie tam przyjęli, również zapytali o książeczkę wojskową i wbili następne odroczenie.

Aha, zapomniałem powiedzieć, że dziewczyna wtedy definitywnie odeszła, bo się zaczęła mną brzydzić. W przypływie szczerości opowiedziałem jej, jakim sposobem uzyskuję nasienie od knurów rozpłodowych.

Na studia nie chciałem zdawać. Wiedziałem, że jeśli je ukończę, to i tak będę musiał iść do wojska w charakterze tak zwanego bażanta. Na drugim roku studium otrzymałem następną pieczątkę w książeczce. A krótko po tym pod wpływem inhalacji butaprenowej razem z innymi punkami spaliliśmy nasze książeczki wojskowe. Tomek po tym rytualnym spaleniu dokumentu zniknął. Potem się dowiedziałem, że się ożenił i zamieszkał w Ziębicach Śląskich; postanowiłem go odwiedzić. Wdrapałem się na drugie piętro kamienicy stojącej w centrum, zadzwoniłem. Otworzył jego ojciec albo teść, sam nie wiem.

– Dzień dobry, jest Tomek?

– Tomek jest rozwiedziony! – odpowiedział jakby automatycznie.

Ten krótki dialog uświadomił mi, że w tym kraju nie tylko wojsko jest surrealistyczne, ale ojcowie i teściowie też. Postanowiłem zmykać. Kiedy skończyłem szkołę, wykupiłem wycieczkę do Wiednia, na posterunku podpisując lojalkę, czyli zobowiązanie, że wrócę, i wydali mi paszport. Najpierw z ulgą odetchnąłem, ale zaraz po tym zdałem sobie sprawę, że w Austrii mówią po niemiecku, a niemiecki był trzecią rzeczą, której się w życiu najbardziej bałem.

Przyczyny tego strachu są dosyć proste i pochodzą jeszcze z czasów dzieciństwa, tak jak te nóżki. Mokasyny, szare prochowce, pomarszczone twarze, kapelusiki z zielonego filcu, portfele wypchane do granic przyzwoitości, aparaty fotograficzne i kolorowe autobusy z kibelkiem w środku. No właśnie, to jest typowy obrazek z moich okolic z początku lat siedemdziesiątych, no i ja jestem na tym obrazku. Walczę, bo inni się poddają. Sprzedają godność za garść cukierków. Nigdy tego dnia nie zapomnę. Siedzę z kumplami pod kościołem. Jest cicho, niebo jasne, słońce, ptaki latają, aż tu zza rogu wycieczka. Ludzie w opisanych wyżej ubraniach. Szwargocą i strach w nas wzbudzają. Już widzę, jak mnie z kamienicy wyrzucają i gonią w góry. A za tymi górami nie ma nic, jest pustka, i spadam w przepaść. Ale oni zamiast kul śmiercionośnych mają cukierki i zaczynają nimi do nas strzelać. Kumple jak zgłodniałe psy rzucają się na ziemię. Ci w kapelusikach pstrykają zdjęcia. Wkraczam do akcji, ruszony honorem, i krzyczę, żeby zostawili te cukierki, bo mogą być zatrute. Nawet to nie pomaga. Na koniec dostaję najpierw jedną lufę, potem drugą i robi się afera. Gebelsi robią jeszcze kilka zdjęć i zmykają. Słyszę tylko dobiegający z oddali ten okropny język. Z obitą przez moich kolegów twarzą leżę w łóżku. Zasypiam i śni mi się koszmar. To jest okropne, bo wszyscy krzyczą po niemiecku. Łapią mnie i wrzucają do komory gazowej. Tylko że w tej komorze nie używa się cyklonu B, ale pierdziochów. Jest to wielki zbiorowy niemiecki bąk wyprodukowany z piwa, kiełbasek i kapusty kiszonej. Widzę otwór w suficie, a w ten otwór jakiś feldfebel wkłada puszkę z tym bąkiem. Gaz ulatnia się. Zaczynam się dusić. Ale do komory wchodzi facet w masce przeciwgazowej i wyjmuje z kieszeni kartkę w języku polskim. Podaje mi ją. Czytam przez łzy: „Jeszcze możesz wszystko odwrócić, jeszcze możesz wyjść z tego pomieszczenia i żyć, żyć spokojnie i dostatnio. Lecz musisz podpisać listę i nauczyć się niemieckiego". Opanowuje mnie głupi śmiech. Drę kartkę i rzucam nią w faceta w masce przeciwgazowej. On wychodzi i zamyka za sobą metalowe drzwi, a ja, dusząc się kapuścianymi pierdziochami, próbuję odśpiewać „Jeszcze Polska nie zginęła...".

Kiedy się obudziłem, obiecałem sobie, że zrobię w życiu wszystko, żeby się niemieckiego nie nauczyć, tak samo jak sobie obiecałem, że nie tknę zimnych nóżek, tak samo jak sobie później obiecałem, że nie pójdę do wojska. No i w wytrwaniu w tym moim postanowieniu dopomogło mi jeszcze kilka życiowych faktów. Otóż komuś z miasteczka udało się wyjechać na wakacje do Niemiec Zachodnich i o dziwo wrócił. Ten ktoś przywiózł ze sobą kolorową gazetę, w której na pierwszej stronie widniała moja obita morda, a pod spodem komentarz następującej treści: „Bieda w Polsce nie zna granic, pozbawia nawet młodocianych resztek człowieczeństwa. Biedne dzieci zrobią wszystko, aby dostać cukierka, skatują nawet swojego kolegę". Zagotowało się we mnie, a potem zagotowało jeszcze bardziej, kiedy rodzice się nie zgodzili, żebym po podstawówce poszedł do technikum weterynarii w Nysie, tylko kazali iść do naszego liceum. I w tym liceum drugim językiem obcym – obok rosyjskiego – był niemiecki. Ja już się wtedy całkiem zawziąłem i byłem tak konsekwentny, że profesor Teodor Mop musiał mnie posadzić na koniec roku i dzięki temu mogłem zmienić szkołę i poszedłem do innego liceum, z rosyjskim i angielskim. Tak sobie myślę, że to moje policealne studium unasienniania to proteza, wyrównanie za technikum weterynarii.

No dobrze, wyciągnąłem te pieniądze od rodziców na wycieczkę do Wiednia i oczywiście nie miałem z niej zamiaru wracać, bo gdzie? Prosto do wojska? Siedzę w autobusie, zbliżamy się do granicy w Boboszowie. Granica. Wpadają najpierw polscy pogranicznicy, potem czescy, a po nich celnicy i ryją wszystkich. Każą wysiadać, torby na ławki wykładać i spowiadają. Większość towaru zabierają i każą wracać do autobusu. Tylko mnie nie dowierzają, bo mam małą torbę z rzeczami osobistymi. – Na osobistą! – Każą spodnie spuszczać, w tyłku grzebią, latarką świecą, a tam nic.

Jedziemy. Jesteśmy już w Czechosłowacji, kraju smutnym i przystrojonym gwiazdami, gdzie ludzie chodzą z głowami nisko spuszczonymi i nisko spuszczonymi gaciami. Mijamy Svitavy i jedziemy w kierunku Brna. Pilot coś tam o Brnie pitoli, ale nikt go nie słucha, bo każdy myśli, jak tu przejechać z tym, co mu jeszcze zostało do opchnięcia. Za chwilę Mikulov. Inna granica. Żelazna kurtyna. Wchodzą Czesi. To samo, co w Boboszowie. I jedziemy pasem ziemi niczyjej obłożonej minami. Widzimy druty kolczaste i napis „Republika Austrii”. Austriaccy pogranicznicy sprawdzają dokumenty, celnicy podjeżdżają z lusterkami na wysięgnikach, aby dokładnie pooglądać nasz autokar od spodu. Robią taką atmosferę, aby nam udowodnić, że nic dobrego nas w Wiedniu nie czeka. Ale puszczają. Jesteśmy w wielkim świecie. Droga prosta, asfalt równy. A w Wiedniu na parkingu pilot przez trzeszczący mikrofon mówi:

– Tym z państwa, którzy mają zamiar wrócić, proponuję spotkanie w niedzielę o jedenastej przed autokarem w tym samym miejscu. A tym, którzy chcą przedłużyć pobyt, życzę powodzenia i informuję, że austriacki Caritas dowozi za darmo posiłki dla bezdomnych rano i wieczorem i rozdaje je przy wszystkich większych dworcach w mieście.

Włóczyłem się tak trzy miesiące bez celu, korzystając z pomocy Caritasu, śpiąc, gdzie popadnie, zadając się, z kim popadnie, i już nawet myślałem o powrocie, tylko że nie miałem kasy, a robiło się coraz zimniej, coraz bardziej beznadziejnie. Ale w grudniu przyszła nadzieja w osobie generała Jaruzelskiego, który wprowadził stan wojenny. Więc wyszło na to, żeby jednak nie wracać. Zgłosiłem się na policję i skierowali mnie do obozu. A w obozie było ciepło i można było po polsku pogadać i się wykąpać. Ubrania i jedzenie też dawali. Tylko że ci Austriacy chcieli, żebyśmy się gdzieś dalej wynieśli. Na przykład do RPA czy Australii. Część się zgodziła zapolować na Murzynów czy kangury, ale ja powiedziałem, że chcę zostać w Austrii, bo bałem się tak długiej podróży, no i byłem sam. Ci od kangurów zostali całymi rodzinami. Było im łatwiej wyjechać i zaczynać w innym kraju. Ponieważ się uparłem i nie myślałem o dalekich krajach, jakoś przystali na moją prośbę, ale w zamian musiałem iść na kurs niemieckiego. Koszmar wrócił. Cyklon B i tak dalej. Napisałem test wstępny i wyszło na to, że profesor Teodor Mop coś tam w moim mózgu pozostawił, bo zakwalifikowano mnie na kurs dla średnio zaawansowanych. Jednak dotąd podejrzewam egzaminatorów i władze obozu o zawyżenie wyników. Na kursie siedziałem z Arabem, Murzynem i Ruskim, z którym się mogłem jako tako dogadać. Kurs prowadziła mocno odrażająca nauczycielka z Tyrolu, która wypowiadała te niemieckie słowa z równie odrażającym akcentem. Ona ogólnie brzydziła się nas, a my brzydziliśmy się jej. Obcy. Tak więc nauczycielka, której imienia ani nazwiska nie pamiętam, miała osobliwe metody nauczania. Kiedy jeden z nas nie udzielał wystarczająco dobrej odpowiedzi – albo jej w ogóle nie udzielał – musiał wstać i stać. Najbardziej przerąbane miał kolega Murzyn, nie tylko z racji koloru skóry, ale też błyskotliwych odpowiedzi. Nigdy nie odrabiał zadania domowego, a kiedy nauczycielka pytała dlaczego, odpowiadał, że nie posiada zadania domowego, ponieważ nie było go wczoraj w domu. Albo że w obecnej chwili nie posiada domu i żeby odrobić zadanie domowe, najpierw musi ten dom kupić. Nauczycielka wpadała w furię i Murzyn prawie każdego dnia musiał stać do końca lekcji.

No tak, dałem się spacyfikować, ale tłumaczyłem sobie, że ten austriacki niemiecki to zupełnie inny niemiecki niż niemiecki niemiecki i że nie sprzedaję się do końca. Prócz tego poczułem, że mogę coś wyciągnąć z tego kraju, że poniesiona ofiara później zaowocuje. Pod koniec kursu odbył się egzamin, który o dziwo jako jedyny zdałem. Otrzymałem pozwolenie na pracę i pobyt oraz kawalerkę z puli socjalnej. Ale wyjeżdżać nie mogłem. Mój polski paszport był przegrany. W kraju czekało wojsko lub ciupa. A mnie się jakoś za Polską zatęskniło. Oprócz dyplomu językowego z wyraźnie wypisaną oceną dostateczną otrzymałem pisemną opinię bardzo poważnych ekspertów od bardzo poważnych problemów międzynarodowych. W tym dokumencie było napisane, że zważywszy na to, skąd pochodzę, wykazane umiejętności językowe oraz nazwisko i imię, a nazywam się Robert Kant, mam wielką szansę na totalną integrację. Obywatelstwo oznaczało paszport. Paszport oznaczał wolny wjazd do Polski i wyjazd. Więc się bardzo ucieszyłem i kiedy przepracowałem w Austrii odpowiedni kawałek czasu i zebrałem odpowiednie dokumenty, wystąpiłem z prośbą o przyznanie mi obywatelstwa. I otrzymałem je w normalnym trybie urzędowym. Poczułem się kimś ważnym, kimś życiowo ustawionym, kimś, komu udało się mimo przeciwności losu zrealizować lub prawie zrealizować to, co sobie za młodu obiecał. Chodziłem po tym Wiedniu, bo był teraz mój, zdobyłem go. Wpadałem do knajp i jak widziałem jakiegoś niedopitego Polaka, zaraz stawiałem mu kilka piw, bo chciałem, żeby poczuł się dobrze, lepiej, tak samo jak ja, obywatel wolnego kraju. Otwierałem swoją skrzynkę pocztową i wyciągałem z niej kartki z gratulacjami z Polski, a pewnego dnia wyjąłem z niej urzędowe pismo. I z wypiekami na policzkach zacząłem je czytać, bo byłem pewien, że to zawiadomienie, że mój paszport już na mnie czeka. I brnąc ze swadą przez pierwsze linijki, ze słowa na słowo zwalniałem, aż całkiem przestałem, bo był to list z armii austriackiej, która wyznaczyła mi termin komisji poborowej.

– Cholera! – krzyknąłem, a potem zapłakałem. Wybiegłem z mojej kamienicy i zacząłem biec jak na stracenie. Przebiegłem tak kilka dzielnic, aż zatrzymałem się przed jakąś wystawą i z chodnika podniosłem kamień. A potem ten kamień owinąłem listem. W złości i desperacji cisnąłem nim przed siebie. Szyba pękła, a ja stałem w bezruchu, czekając, aż mnie policja zabierze. Ale nikt nie podjeżdżał. Ze sklepu wyszedł grubas w białym kitlu. W dłoniach trzymał półmisek, a na tym półmisku drżały nóżki w galarecie i ten mój kamień też na nim leżał.

Pornogarmażerka

Do fabryki wpadła policja. Marokańczycy pouciekali, a Goranowi i mnie kazali pokazać paszporty. Ilję zabrali. W biurze dowiedzieliśmy się, że miał nieważny meldunek i że go deportowano. Deportowano? W tych brudnych ubraniach? W goglach? Szef powiedział, żebyśmy się nie martwili, dopóki mamy ważne stempelki, nic nam nie grozi, a Ilja odwiedzi sobie rodzinę i wróci za dwa tygodnie, tylko zgłosi w odpowiednim urzędzie kradzież paszportu.

Szef się nie mylił. Ilja się zameldował po miesiącu, a w mikrobusie opowiadał swoją pierwszą historię deportacji.

– No i mówię wam, chłopaki, ja im mówię, że się tylko przebiorę i jedziemy na lotnisko, tylko się spakuję, a oni *nein* i *nein*. No to jak *nein*, to *nein*. Z tego wszystkiego zapomniałem zdjąć gogle. Skuli mnie i na lotnisko, osobnym wejściem, mówię wam, jak ambasador czy ktoś taki, wbili mi do paszportu, w różnych językach, i do samolotu, do Belgradu, prosto do domu, bo ja z Belgradu, na lotnisku przekazali mnie naszym, a tamten, ten nasz, w zielonym, tylko zerknął do paszportu i mi mówi „witamy w kraju", i już, już byłem wolny, nawet mi ten ostemplowany paszport oddali, o nic nie pytali. No to jadę do domu. Wchodzę na podwórko, a moja stara wiesza pranie, to ja do niej, „poznaje mnie pani?", a ona „Jezu!" zaczyna krzyczeć i płakać, i na kolana, i ryczy, jakby ducha zobaczyła, chłopaki, to były jaja, sąsiedzi się zbiegli, a ona dalej ryczy, to podchodzę do niej i chcę przytulić, a ona w krzyk, „nie dotykaj mnie, nie dotykaj, odejdź". Myślę sobie, całkiem jej odwaliło w tej samotności i dopiero po chwili przypomniałem sobie, że ja stoję przed nią w tym zakrwawionym kombinezonie i mam gogle na szyi. Jak się przebrałem, to się dopiero uspokoiła, a później normalnie, tak jak się zawsze robi, poszedłem na dzielnicę, zgłosiłem gdzie trzeba, podsmarowałem gdzie trzeba, dwieście eurasków w formularz o nowy paszport, „przyśpieszony" mówię, nie ma sprawy. I, chłopaki, znowu jesteśmy na kurkach. Mam nowy paszport i jutro szef wbije mi meldunek w innej wsi. Podymałem za wszystkie czasy, z dzieciakami do parku pochodziłem, za darmo przeleciałem się samolotem w jedną stronę, a wróciłem autobusem, i wszystko gra, teraz to ja jestem taki naładowany, teraz to ja jestem nowy człowiek, teraz to ja dopiero mogę te kury patroszyć.

Goran pojechał do Wiednia, już wiem, że w ten weekend zaczyna pracę w klubie, piątek i sobota wieczór, jak on da radę po całotygodniowej katordze w kurach, tylko zdążył się wykąpać, przebrać i pojechał, powiedział, że wraca w niedzielę wieczorem. Co będzie ze mną, jeśli się wyprowadzi? Nie dam rady sam płacić za mieszkanie... Chyba że wyniesiemy się razem do Wiednia. Co to za klub? Jaka robota? Bo jakoś nie chce się przyznać, zawsze zbywa.

A dziś się wygadał. Tańczy w złotych majtkach dla starych babek i pedałów, pokazuje im, ale nie pozwala dotykać. Mówi, że dla mnie też jest miejsce, żebym mu tylko powiedział, to taka fajna i śmieszna praca, i jeszcze do tego tak dobrze płatna. Cholera, czterysta za weekend, trochę człowiek tyłkiem i jajkami zarzuci w jedną i drugą stronę i już, tyle forsy, a ja tu dalej uczciwie z Iljąi arabskimi kolegami popełniam zbrodnie na kurczakach. Może by go jednak zapytać o takie majtki dla mnie?

Wyprowadza się za tydzień. Załatwił sobie szkołę, zapłacił, idzie do przodu. Klub wynajął mu pokój w samym centrum, tylko pozazdrościć. A co ze mną? On to jest jednak równy gość, przypomniał o miesięcznym depozycie, powiedział, żebym ostatni miesiąc mieszkał za darmo, swojej połowy nie chce, to prezent. Dał mi swój adres i nazwę klubu.

Ta, co stęka w weekendy, zawsze bacznie mnie obserwuje, kiedy spotykamy się na korytarzu. Jest niczego sobie, mam na nią ochotę. Może ją zaprosić do siebie na kolację, zaprosić przed weekendem. Tak, zaproszę ją na kolację.

Kolacja stygnie, ale co tam kolacja, kiedy zaczęła od deseru... Spodobało się, jest każdego wieczora, ale nigdy nie śpi u mnie, zawsze wraca do swojego mieszkania, nigdy nie zaprasza. Ma zdrowie, najpierw ze mną przez pięć dni, a potem z tym jej dochodzącym. Jeśli tu dalej będę mieszkał, to zaciupciam się na śmierć. Ona ma niespożyte siły, a ja już nie wyrabiam w tych kurczakach. Podkręcili taśmę, od kiedy Goran odszedł. Trzeba szybciej i kury są też chyba cięższe.

Zdecydowałem się na Wiedeń. Goran przyjechał w środę. Znalazł mi pokój i umówił na rozmowę w klubie. Mam tydzień na oddanie kluczy. Jeśli nie przejdę, jeśli nie dostanę pracy w klubie, to mogę mieszkać dalej u nas na wsi i oprawiać te kurczaki.

Klub nazywa się Różowy Banan, ale co mi tam, przecież sobie przyrzekłem, że wszystko, nawet w złotych majtkach, aby tylko jak najszybciej odłożyć na to mieszkanie. „No, trzymaj się i pokaż im", powiedział Goran i odszedł.

Pokazać musiałem, bez tego nie można było zacząć rozmowy. Dwóch siedziało na krzesłach jak reżyserzy, obok nich dziewczyna. Kazali się rozebrać, ze wszystkiego wyskoczyć, głupio tak, tak szybko i... a, niech tam, ostatecznie mam przecież podskakiwać i pokazywać za kasę.

„Erekcja", krzyczy jeden z nich. Reżyser się znalazł. Nie mogę, nie mogę tak na zawołanie. Pstrykają na dziewczynę. Na to nie potrafię być obojętny. I macie erekcję, proszę bardzo, dziewczyna zna swój fach. Ten z lewej jest tak zachwycony, że aż wstaje i krzyczy „brawo!". Rzucają na stół kilka par majtek wyszywanych cekinami, srebrne, seledynowe, fioletowe, złote, każą wybrać. Znaczy dostałem pracę. Złote wybrałem, aby tradycji stało się zadość. Każą włożyć, strasznie się wrzynają. Pytają, jakie chcę pseudo, bo tu każdy ponoć ma. On jest Hard, a jego kumpel Big, panienka Hoover, a Goran Student. „Może Red Cock", krzyczę w ich stronę. Śmieją się, przyjmują i zapisują na kartce. Mówią, że mam przyjść w piątek do pracy, ale tańczyć jeszcze nie będę, muszę się uczyć.

Pracuję w piątek, sobotę i niedzielę, czterysta pięćdziesiąt za całość, no to są superpieniądze, nie każą tańczyć, dali muszkę i chodzę prawie goły, w złotych majtkach tylko, mam zbierać puste szklanki i kieliszki, czasami jakiś idiota klepnie mnie w tyłek, wtedy chcę mu dać w mordę, odwracam się sprężyście, widocznie właśnie to ich jara, bo za chwilę wkładają mi banknot za paseczek od majteczek, najczęściej piątkę niebieską wpychają, może kiedyś przywyknę do klepania, łatwiej przywyknąć do wsuwanych banknotów, to dużo przyjemniejsze, bo pod koniec zmiany robi się druga wypłata. Jest tu taki zwyczaj, że ci, którzy noszą szklanki, zanoszą drinki, tacy sami jak ja, w muszce, wrzucają wszystkie napiwki do słoika i po pracy równo się nimi dzieli, nawet pomywacz dostaje. Tylko ci, co tańczą na rurze, ci, co pokazują z bliska, ci się nie dzielą, ale to już inna klasa złotych majtek, kiedyś i na mnie przyjdzie kolej, kiedyś i ja wskoczę na rurę, jak ten Czarny Jorge, za którym sikają wszystkie starsze panie. Po podziale i tak dostaję fajne pieniądze, żyć nie umierać, tylko trochę nudno samemu w pokoju. Goran jak nie w pracy, to w szkole, a ja nigdzie nie chodzę, bo kasy szkoda, muszę jak najwięcej odłożyć i kupić to mieszkanie, przecież nie będę wiecznie w tych majtkach...

Big powiedział, że jak mi się nudzi i nie mam co robić, to mogę przychodzić do pracy wcześniej, nie będzie mi za to płacił, ale mogę potrenować na rurze, zacząć ćwiczyć swój układ. Mówi, że wyglądam na zdolnego, że Serbowie to zdolni ludzie, mają serce, naturalni są, że szkoda mnie z takim ptakiem kisić przy szklankach, ale na wybieg nie wypuści, zanim nie wymyślę swojego numeru, zanim nie zaskoczę go czymś fajnym, świeżym. Boże, co ten Goran tu wyrabia, że wszyscy Serbowie mają teraz opinię artystów.

Przychodzę i patrzę, jak Czarny Jorge się napręża, jak trzęsie pośladkami, jak miarowo rusza biodrami. Najważniejsze to dobrze zacząć, wyjść i pięknie wskoczyć najwyżej jak można, na rurę, a potem zgrabnie zjechać. Tutaj muzyka się nie liczy, niczego nie robią w jej takt, mają swoje programy, kroki, triki, obojętnie co by leciało, czy marsz pogrzebowy, czy coś skocznego, będą robić to samo, skok, zjazd, szpagat, potrząsanie, a potem wariacje na temat potrząsania i do starych babek i pedałów, trochę powyciągać.

Hoover zabrała mnie na wycieczkę na Słowację, na kilka godzin, mówi, że tam trzyma kasę. Z Austrii wszędzie blisko. W Bratysławie weszła do sklepu, kazała zostać w samochodzie, włączyłem radio, szukam, naciskam. Po piętnastu minutach wróciła, daje mi zawiniątko, mówi, żebym odpakował. No nie, kobieta straciła rozum, złote majtki z osobnym workiem na ptaka, rozpinane na zamek z przodu, mówi, że to na debiut... W piątek wieczorem widzę ją z jakąś dojrzałą przy stoliku. Piją, są wstawione i ciągle mnie wołają, abym zabrał puste szklanki, kiedy przychodzę, klepią mnie po tyłku i wsadzają banknoty, śmieją się. Za którymś razem, kiedy znowu przychodzę po szklanki, dojrzała tak mnie klepie, że czuję się jak ukarany chłopak, piecze, ale co mam zrobić. Hoover krzyczy, że na debiut chce mnie widzieć w majtkach, które mi w Bratysławie kupiła. Czekają na mnie. Nie wychodzą, czekają, aż skończę pracę, a potem dojrzała zaprasza do siebie, mówi, że zapracowałem na nagrodę. Łakoma. Półmrok wygładza jej ciało, jęczy, nie chce się oderwać, ale po trzecim razie zwalnia, chce być w miarę sprawiedliwa, udaje się, jest mokra, jakby zaskoczona, że tyle tego było, wyciera twarz w poduszkę i wychodzi, jakby nic nie zaszło. Wieczorem widzę ją znowu przy stoliku, jest sama, już mnie nie klepie, kiedy odnoszę i przynoszę. Za którymś razem każe się nachylić, mówi na ucho, że jestem niezły, że była zadowolona, że dostanę pracę, mogę zapomnieć o majtkach. Ma firmę. Film będziemy kręcić, dostanę rolę za dziesięć tysięcy.

Przeniosłem się, mieszkam teraz u niej. Ma ogromny dom. To nie jest zwykły dom, to jest też studio, tu się kręci. Jedyny opór, jaki mam, to taki, iż ciągle myślę, że jeśli kaseta dotrze do Serbii i ktoś mnie rozpozna, to będę skończony. Na górze jest duży pokój, w którym montują nakręcone kawałki, muzykę podkładają, stękanie, to już robi moja dobrodziejka, ona też maluje dziewczyny i lata z ligniną, aby je obcierać po strzałach, donosi smary, kondomy i olejki i kontroluje, a filmy kręcą moi dobrzy znajomi z Różowego Banana. Poddaję się życiu, to ono zdecydowało, nie narzekam, praca przyjemna, nie kurzy się... Nauczyłem się zasad. Nigdy nie patrz w kamerę. Spuszczaj się, kiedy każą. Kończ, kiedy każą. Dobrze się odżywiaj i dużo wypoczywaj. Z tą ostatnią zasadą najgorzej. Jeść jem, i to bardzo dobrze, ale moja pani ma niespożytą energię, przychodzi do mnie każdej nocy i sobie dogadza, muszę pojechać na urlop, muszę wypocząć. Już trzy filmy nakręciliśmy, idą jak woda. Konto rośnie, tyle kasy za kilkadziesiąt strzałów. Pięć lat musiałbym ciągnąć w tej ubojni albo jeszcze trochę potańczyć w złotych gaciach. Goran się odsunął, nie spotykamy się często. Może kasy zazdrości, on ciągle na tej rurze, ale do filmu nie pójdzie, tak powiedział.

Niedziela. Wytargowałem wolne i podjechałem do Gorana. Namówiłem go na wizytę u Ilji. Trzeba pogadać, znajomego odwiedzić, na wieś z wielkiego miasta wyjechać, odpocząć.

Ilja jeszcze wczorajszy, zdziwiony, ale ucieszony.

– No, chłopaki, ale wyglądacie, pewnie na doki się załapaliście, forsą od was pachnie – powiedział z zachwytem. Na sofie leżała dziewczyna, była przykryta seledynowym kocem. – Chłopaki, chcecie trochę podymać? Jak chcecie, to nie ma sprawy, potem pogadamy. To jest Tamarka, dorabia u mnie na weekendy. Bierze pięćdziesiąt za dzień, dymasz, ile chcesz. Lepsza od tych waszych z Wiednia, bo jeszcze jęczy po naszemu i cię nie wywala po kilku minutach, to nasza dziewczyna, no nie, Tamarka?! To co, chłopaki, chcecie podymać?

– Nie, nie, dzięki, opowiadaj, co tam u ciebie. Na pralnię chemiczną w Belgradzie już odłożyłeś?

– Na pralnię jeszcze nie, ale chłopaki, jaką ja lodówkę wyczaiłem z wystawki! Głowa mała. Tyle rzeczy kiedyś nakupiłem do żarcia, a gdzie to schować, część na półki w kuchni, resztę do lodówki, tylko że lodówki nie ma. Trzeba było szybko jechać, żeby się nie popsuło. A wystawka była w Melku. Auto od szefa pożyczyłem, ciemno się zrobiło, no to jadę. Mało rzeczy powystawiali przed domy, rupiecie, kalosze, na co mi kalosze czy gazeta po niemiecku. Jadę dalej, a tam dwa materace leżą, to zabieram do samochodu. Jadę dalej przez miasteczko, może jeszcze coś, choć miejsca już prawie nie ma. Jezu, jest lodówka, ale ktoś nadjeżdża z drugiej strony, na długich, po oczach wali, próba nerwów, też chce lodówkę. Zbliżamy się do siebie, teraz jesteśmy po przeciwnych stronach lodówki, też włączyłem długie, a co, co mnie będzie oślepiał. Trochę spanikowałem, bo wyłączył silnik. Kurka, czyja będzie ta lodówka? Kto siedzi w drugim samochodzie? Będę się musiał smarować czy nie? Zgasił światła. Wychodzi. Ja, dalej na światłach, silnik pracuje. A to mały żółtek, podchodzi do lodówki. Odwaga mi przyszła. Myślę, wyjdę i przegonię, ale zaraz mi się przypomniał film *Wejście smoka*. I jeśli ten gostek tak potrafi jak tamten, to dziękuję za uwagę, lodówka jest jego. Ale wychodzę. Będzie, co będzie. I tak sobie patrzymy na siebie. Ja cały się spociłem, ale nic, gram dalej. Dotyka to pudełko, jakby się z nim żegnał. Jeszcze przez chwilę głaszcze je. Wreszcie odchodzi. Wsiada do samochodu i odjeżdża. Lodówka działa. Nie jest nawet głośna. Wyczyszczona w środku, wymyta, porządni ludzie z tych Austriaków. To co, panowie, po piwku?

— A co tam słychać na kurczakach? — zapytałem, bo widziałem, że Ilja ma dziś gadane.

— Nic się nie zmieniło, oni tak jak zawsze. Zwierzęta, wściekłe psy. Na przykład w poniedziałek. Kura siedzi i się gapi, a Arab z końca taśmy daje znak. Ten, który jest na początku, przy skrzynkach, wie, o co mu chodzi, zatrzymuje maszynerię, naciska czerwony guzik. I zaczyna się jazda. Oni tak zawsze, tak zawsze świrują, jak jakaś kura ucieknie, uspokoją się dopiero, kiedy złapią i zabiją. A ta poniedziałkowa była wredna, nie dawała się, ale ją złapali i trzymali we trzech. Do hali wszedł szef, patrzy, nic nie mówi, bo on wie, że muszą się wyżyć, że potrzebują tego, aby przychodzić do pracy, bo nikt tego nie chce robić. Jeden wyciąga papierosa, podpala, zaciąga się, dwóch pozostałych trzyma kurę. Nie kiepuje, łapie za głowę i otwiera szeroko dziób, wpycha jej papierosa, czeka chwilkę, patrzy na mnie i szefa, zamyka dziób, kura resztkami sił jeszcze chce się wyrwać. Arab ciągnie za łebek, ciągnie powoli, szyja się wydłuża i wydłuża, aż daje za wygraną. Głowę trzyma w ręce, krew sika. Patrzy znowu w naszą stronę i rzuca nią we mnie, ale łeb spada na taśmę, dym wychodzi z rozwartego dzioba. Wymiotować mi się zachciało, a Araby, jak to zobaczyły, zaczęły podskakiwać i krzyczeć *jalla, jalla*! I tak to, panowie, u nas na zakładzie jest, ale widzę, że wy już ustawieni. Gdzie robicie?

– A w takim klubie – odpowiadam. – Szklanki nosimy, zmywamy, dobrze nawet płacą.

– A może pornola, może pornola obejrzymy, co?! Tamarka, wstawaj, wkładaj kasetę! Nie, nie tę. Tę nową wkładaj. Odpakuj. Wczoraj kupiłem. Ten ze sklepiku zachwalał, mówił, że jakiś Serb gra, że ma ogromnego. Jak mu tam... No, jak mu tam. Aha, Red Cock na niego mówią.

Moja siekierezada

1

– A swoją drogą, to ciągle mnie zadziwiasz – powiedział Helmut. – Wyciągasz trzy tysiące i jeszcze ci źle? Chcesz poszukać nowych wrażeń? Skocz na Prater. Zamknij się w tej kapsule i spróbuj nie zwymiotować. He, he, he – roześmiał się.

– Ja się duszę w mojej pracy, potrzebuję powietrza, Helmut...

Knedle, które miałem zamiar zjeść, całkiem ostygły i kiedy odsunąłem na bok talerz, zadzwoniła żona Helmuta. Pytała, kiedy wróci i czy zjedzą wspólnie kolację.

– Właśnie jem – odpowiedział. – Ale wiesz co – dodał – Franz chyba zwariował. No mówię ci, totalnie mu odbiło. – Po tym słowie mrugnął do mnie okiem i uśmiechnął się. – Wiesz, przestała mu się podobać jego praca. ...Co w tym dziwnego? Ano to, że chce ją zmienić. ...Co w tym dziwnego? Daj spokój, beznadziejna

sprawa, chce się przebranżowić na fizola! ...No, nie żartuję! To nie jest żaden żart, on gada o tym całkiem poważnie. ...Tak, tak. Całkiem. ...Nooo. Poczekaj, bo coś
przerywa. Nie słyszę cię. Powtórz jeszcze raz.

Z każdym dniem chodziłem coraz bardziej wkurzony
i z każdym dniem wykonywałem swoje zajęcia coraz
gorzej. Aż wezwał mnie szef i powiedział:
— Zupełnie pana nie poznaję. Co się z panem dzieje?
Jakieś kłopoty?
   Pokiwałem głową na tak.
   — No to co jest? — zapytał znowu szef.
   — Praca, która dawała mi kiedyś satysfakcję, już mnie
nie cieszy. Odnoszę wrażenie, że się wypaliłem, że
już nie mogę. Po prostu dłużej nie mogę tu być.
   — Hmmm, a może to czasowe? — zapytał szef. — Wie
pan, ja kiedyś miałem też coś takiego, ale mi przeszło.
Pomyślałem o rodzinie, żonie, dzieciach, przecież dob-
rze zarabiamy? Prawda?
   Znowu pokiwałem twierdząco.
   — No, niech się pan weźmie w garść, to z pewnością
krótkotrwały stan. No, proszę mi tego nie robić. Zawsze ceniłem pana jako współpracownika i nie chcę
pana stracić.
   — Dziękuję, szefie — powiedziałem ściszonym głosem.
   — Nie wiem, no nie wiem, co jest, ale czuję nieodpartą
potrzebę zmiany, muszę coś z sobą zrobić. U pana sprawy wyglądały inaczej. Żona, dzieci. Ja jestem sam.

A pewnego dnia nie poszedłem do pracy. Mimo telefonów i próśb szefa powiedziałem, że to koniec, że już mnie więcej nie zobaczy. Poprosił, abym napisał list, a w tym liście wyjaśnił, że odchodzę na własną prośbę. Po paru dniach otrzymałem pocztą papiery, na podstawie których mogłem ubiegać się o zasiłek. W kopercie był też mały bilecik. „Jakby pan kiedyś zmienił zdanie, to chętnie zobaczę pana u nas za biurkiem. Życzę powodzenia. Wagner".

Zadzwoniłem do Helmuta. Zamanifestowałem, że już jestem wolny, że wreszcie zrobiłem to, co chciałem. A kolega powtórzył mi kilkakroć, że kompletnie ześwirowałem i że będę tego żałował, ale wieczorem umówiliśmy się na piwo.

– I co teraz? – zapytał z ciekawością.

– Nic, jutro wybieram się do biura pracy.

– I co? – ciągnął dalej krótkimi pytaniami.

– I nic, zarejestruję się, dadzą zasiłek i coś mi znajdą.

– Aha, uważaj. To ty nie wiesz, że w tym mieście biura pracy są po to, żeby pracy ci nie znaleźć?

– Jak to? – spytałem.

– Chłopie, te biura pracy są po to, żeby ludzie, którzy w nich pracują, mieli zajęcie.

– Pierwsze słyszę – powiedziałem zdziwiony.

– Ty o tym nie wiesz, bo nigdy nie byłeś bezrobotny, to cię przestrzegam. Moja żona kiedyś była na bezrobociu. Niczego jej nie znaleźli, za to musiała chodzić na idiotyczne kursy, bo jeśliby powiedziała, że nie chce, to straciłaby zasiłek. Więc chodziła na pierdoły pod tytułem „Nowy początek" lub „Zacznijmy razem" i słuchała wykładów dziwnych pań, a wszystkie kursy kończyły się tym samym: pisaniem na komputerze życiorysu oraz poradami, jakich zdjęć do tego życiorysu nie powinno się dołączać.

– Żartujesz?

– Nie, nie, mówię całkiem poważnie. Ponoć nie wolno się zbyt uśmiechać i w wypadku kobiet pokazywać dekoltu.

Uśmiechnąłem się.

– Aha – dodał kumpel – jak chcesz dostać robotę fizola, to broń Boże nie przyznawaj się, że masz maturę, a o studiach to już całkiem zapomnij. Ale ja i tak uważam, że ci odbiło. Jesteś świrem i tyle – zakończył Helmut i szczerze się roześmiał.

2

– Numer trzydzieści cztery? Proszę usiąść. Kartę ubezpieczeniową proszę. – Zerknęła na numer i odnotowała go w komputerze. – Gdzie pan ostatnio pracował?

– W firmie informatycznej.

– Aha. – I znowu zapisała coś w komputerze.

– Zrezygnowałem, sam – dodałem pod nosem.

– Aha. – I znowu coś zapisała. – A dlaczego?

– Wydaje mi się, że wypaliłem się zawodowo, potrzebuję czegoś nowego. Powietrza, w sensie dosłownym i w przenośni.

– Aha... Nie rozumiem – powiedziała urzędniczka. Wstała, podeszła do szafki i wyjęła formularze. – Proszę pana, to nie jest takie proste w obecnych czasach znaleźć dobrą pracę. Dziwi mnie, że zrezygnował pan sam i mówi pan o jakimś powietrzu. Ja doprawdy nie wiem, czego pan oczekuje, mogę tylko zrobić to, co leży w mojej gestii. Proszę to wypełnić i przyjść za tydzień o tej samej porze. Do formularza proszę dołączyć świadectwo urodzenia, świadectwo zameldowania i wszystkie inne rzeczy, które są zaznaczone na czerwono.

Po tygodniu siedziałem znowu przed cycatą, tym razem z wypełnionymi formularzami oraz plikiem innych papierków. O nic nie pytając, sprawdziła wszystko, a na koniec powiedziała:

– Otrzyma pan pismo, w którym będzie ustalona wysokość zasiłku. Pieniądze będą wpływać na podane przez pana konto. – Wyjęła z szuflady biurka kartonik i zgięła go wpół, tworząc coś na kształt książeczki. Do tej książeczki wpisała datę i godzinę. Podała mi kartonik. – To jest, proszę pana, dzień i godzina, o której ma się pan tu ponownie zjawić. W przypadku choroby proszę iść do lekarza po pisemne zwolnienie i przefaksować je na podany niżej numer. W razie samowolnej rezygnacji ze spotkania w wyżej ustalonym terminie automatycznie traci pan zasiłek. Do zobaczenia.

Cycatka wstała i podała mi dłoń na pożegnanie. Poczułem, że wpadam na powrót w schemat i rutynę, że zaczyna brakować mi tlenu. Ale kiedy wychodziłem ze stacji metra, zobaczyłem stojącego blisko automatu na bilety człowieka, który śpiewał operowym głosem. Ten obrazek podziałał na mnie do tego stopnia pozytywnie, że nie czekając na ofertę z urzędu, zacząłem w domu serfować po internecie, w poszukiwaniu jakiegoś zajęcia, które mogłoby mnie ucieszyć. Niczego jednak nie znalazłem i kilka następnych dni spędziłem na przeglądaniu stron pornograficznych, onanizowaniu się i samotnym popijaniu. A potem w skrzynce na listy znalazłem pismo z urzędu pracy informujące, iż został przyznany mi zasiłek, który będzie regularnie wypłacany na podane konto w takich a takich terminach, o ile dalej będę spełniał następujące warunki. I małym drukiem były podane te warunki, których nie chciało mi się już czytać. W każdym razie znowu posiadałem regularny dochód przez dziewięć miesięcy i jak mi się wydawało dużo czasu oraz możliwości, aby znaleźć sobie pracę, która spełni moje oczekiwania.

Jednak przez następny miesiąc niczego nie znalazłem i ponownie siedziałem ze swoją książeczką przed cycatką, która wpisała mi w nią następny termin oraz zaproponowała kurs komputerowy, ale kiedy zerknęła w papiery i przeczytała, że jestem informatykiem, momentalnie wycofała swoją propozycję, trochę się przy tym czerwieniąc. Tamtego dnia ponownie spotkałem na stacji metra śpiewaka, który skinął głową w moją stronę, tak jakby chciał powiedzieć: „Proszę chwilkę zaczekać, skończę tylko swoją arię i porozmawiamy". Ja w to spojrzenie uwierzyłem i czekałem. A on śpiewał cudnie, patrząc mi w oczy, i w pewnym momencie pozostaliśmy tylko we dwójkę, bo stacja się wyludniła. Przestał śpiewać. Jeszcze przez chwilę patrzyłem na niego, a potem podszedłem bliżej. Podał mi rękę na przywitanie i powiedział łamaną niemczyzną:

– Ja mieć dziś pięćdziesiąt urodziny. Ja śpiewać, śpiewać dziś specjalnie i pięknie. Ty mieć praca, ty zapłacić mi pięćdziesiąt euro na moje pięćdziesiąt urodziny, a ja śpiewać dla ty piękna aria przez minut dziesięć.

Uśmiechnąłem się pod nosem i powiedziałem śpiewakowi, że ja też praca nie mieć, ale mieć w kieszeni dwa euro i mu je dać, i jak on chcieć, to może mi coś zaśpiewać, ale nie musieć.

– Dobrze, ty mi dać dwa euro, a ja dla ciebie zaśpiewać, ale krótko. Zaśpiewać nie aria, zaśpiewać krótka piosenka.

I zaśpiewał, a gdy skończył, pojawiła się przy nas kobieta z kanapkami, jak się okazało Austriaczka, żona śpiewaka.

– Chciał pana naciągnąć? – zapytała.

– Ależ skąd – odpowiedziałem bez namysłu.

– Zawsze przynoszę Lajosowi coś do zjedzenia o tej porze, żeby nie osłabł, żeby mógł dalej śpiewać, bo to śpiewanie to jego życie, proszę pana. On kiedyś miał angaż w budapeszteńskiej operze, pewnego dnia zrezygnował, a to była taka dobra praca, wszyscy pukali się w głowę, i zaczął śpiewać na dworcu kolejowym. Sam chciał dobierać repertuar i publiczność, jak mi później powiedział. Przyjechałam na wycieczkę, wyszłam z pociągu i go usłyszałam. Oczarował mnie. Zabrałam go ze sobą. Czasy wtedy były ciężkie, ale czego miłość nie zniesie? Prawda? Załatwiliśmy wszelkie formalności, pobraliśmy się i zamieszkaliśmy w Wiedniu. I wie pan co? On nigdy nie starał się o pracę w naszej operze. Uparł się na to metro i śpiewa tu już kilka lat. Ludzie mu pieniądze wrzucają do kapelusza, a on śpiewa i śpiewa. Najważniejsze, że jest szczęśliwy – zakończyła, rozpakowując kanapki.

3

– Słuchaj – to był głos Helmuta w słuchawce telefonicznej – może też zwariowałem, he, he. Słuchaj, dalej chcesz być fizolem? He, he. Jest taka sprawa. Koleżanka mojej żony powiedziała jej niedawno, że poszukują już od jakiegoś czasu w miejscu, w którym tamta pracuje, złotej rączki.

– Czego? – zapytałem ze zdziwieniem.

– Nie czego, tylko kogo! – poprawił mnie kumpel. – Złotej rączki potrzebują, no, takiego pracownika od wszystkiego. Wiesz, wymiana żarówek w budynku, takie lekkie prace, na powietrzu też. He, he. Jak chcesz, to żona może pogadać z koleżanką, a tamta pewnie umówi cię na rozmowę ze swoim szefem. No, co tak milczysz? Chcesz czy nie?

Pojechałem metrem do czternastej dzielnicy. Od żony Helmuta dowiedziałem się, że to spółdzielnia inwalidów. Nie bałem się, bo poczułem w sobie dziwną siłę; niewykluczone, że przykład śpiewaka operowego uskrzydlił mnie, dodał pewności siebie, choć ubiegałem się o pracę kompletnie dla mnie egzotyczną. Nie miałem pojęcia o majsterkowaniu. Nigdy tego nie robiłem, a jak się coś w domu psuło, wzywałem serwis. Ale dziś powiedziałem sobie, że odmienię swoje życie, choćby na chwilę, że dostanę tę pracę.

– Czym się pan do tej pory zajmował? – zapytał otyły mężczyzna o rzadkim zaroście; z trudem uzbierał na coś, co miało przypominać brodę.

– Szczerze? – zapytałem, patrząc mu prosto w oczy w drucianych oprawkach.

– Tak.

– Przez ostatnie dziesięć lat pracowałem jako programista. Ale się wypaliłem i szukam innego zajęcia.

– Taaak – odpowiedział w zamyśleniu. – Pan mi rzeczywiście nie wygląda na pracownika fizycznego. Ale dziękuję za szczerość, choć...

Nie dałem mu dokończyć.

– Proszę pana, ja potrafię takie różne inne rzeczy robić. Mam tak zwaną smykałkę. Od dziecka lubiłem majsterkować, coś przybijać, naprawiać, dokręcać, wkręcać. Przydam się panu.

– Zobaczymy. Zobaczymy – powtórzył. – Nawet mi się pan podoba, pan mi przypomina Herberta z naszej kuchni, i nie tylko fizycznie. Bo wie pan, ja wyznaję taką dewizę: nieważne, w jakim kierunku jesteś wykształcony, ważne, żebyś potrafił robić coś dobrze. Na przykład ten nasz Herbert piastował przez wiele lat stanowisko, o które pan się ubiega, czyli stanowisko konserwatora budynku. Od roku szukamy osoby na jego miejsce. On był genialny w tym, co robił. Potrafił wszystko. Ale pewnego dnia przyszedł do mnie i powiedział, że chce do kuchni, bo wie pan, on pyszne ciasteczka piecze i świetnie gotuje, i jest ogólnie superkucharzem. No i się zgodziłem. A wie pan, skąd Herbert do nas przyszedł?

– Nie mam pojęcia – odpowiedziałem.

– Herbert, drogi panie, był majorem w naszym wojsku, ale odszedł pewnego dnia, wypalił się podobnie jak pan. Zastanowię się nad panem i do końca tego miesiąca dam panu odpowiedź. Po prostu zadzwonię. Ten numer, który pan podał, to aktualny numer pańskiej komórki?

Po kilku dniach telefon zadzwonił.

– Spodobał mi się pan, nie ma sensu czekać do końca miesiąca, proszę przyjechać jutro rano, podpiszemy potrzebne dokumenty. Herbert z racji tego, że jako ostatni wykonywał pańską pracę, wprowadzi pana w tajniki. Do zobaczenia.

4

Ten Herbert był rzeczywiście łudząco do mnie podobny. Trochę seplenił i bardzo się pocił, kiedy biegaliśmy z piętra na piętro, a on objaśniał, gdzie co jest. Dostałem kluczyki od niebieskiego forda i wiele, wiele par innych kluczy, do których powinienem napisać specjalny program komputerowy, bo było ich tak dużo, że nie mogłem połapać się, który do których drzwi należał. Herbert wydawał się miłym człowiekiem, uczynnym i dobrze orientującym się w tym, co kiedyś robił. A kiedy przebiegliśmy wszystkie korytarze, zakamarki, windy, piętra, pokoje i tajne wejścia, zaprowadził mnie do piwnicy i otworzył metalowe drzwi. Zapalił jarzeniówki. Z pierzchającego mroku zaczęły wyłaniać się piły elektryczne, śruby, zapasowe lampy, obcęgi, siekiery i inne narzędzia, przedmioty, których nawet nie potrafiłem nazwać. Z wrażenia zaparło mi dech. Nie mogłem wydusić z siebie słowa. Niektóre z nich błyszczały złowieszczo i szczerzyły zęby, ostrza, pazury. Niektóre zachęcały swoją miękkością i obłymi kształtami, a niektóre nie wywoływały we mnie żadnych emocji, na przykład małe młoteczki o szarych główkach. Herbert widział, z jakim natchnieniem patrzę na narzędziownię, jak nie mogę oderwać wzroku, z jakim przejęciem spoglądam na stół, do którego była przymocowana wielka piła elektryczna. I pewnie mógłbym tak jeszcze stać przez godzinę, wpatrując się w te przedmioty, bijąc się z myślami... Dam radę ich użyć czy nie? Sam dam radę czy z pomocą Google? Ale Herbert zgasił światło. Wtedy dopiero się ocknąłem, a on z dumą powiedział:

– No, teraz to będzie twoje królestwo.

Następnego dnia zawołał mnie szef i powiedział, że ma dla mnie pierwsze zadanie. Kiedy to powiedział, poczułem miękkość w kolanach i lekkie mrowienie w stopach. Ale właśnie tego mi brakowało, właśnie tego od dawna nie poczułem w firmie, w której pracowałem. Właśnie w tym momencie moje płuca napełniły się świeżutkim powietrzem, o którym ciągle gadałem.

– Drogi panie – powiedział – wiata, którą kiedyś zbudował Herbert dla naszego forda, kiwa się, jest niestabilna. Proszę coś z tym zrobić.

– Tak jest, szefie – odpowiedziałem z radością. – Tak jest, szefie, zrobię wszystko, co w mojej mocy, aby ją usztywnić.

Szef uśmiechnął się lekko.

– Jak pan będzie miał jakieś problemy, to proszę skonsultować się z Herbertem.

Stałem obok wiaty, a ta wiata stała obok wysokiej lipy, i czułem w sobie metafizykę, bo kiedy wiatr powiewał, to szeleściły liście i w tym samym momencie zaczynała skrzypieć wiata, chybocząc się z lekka. Żywe drzewo, piękne i pachnące, tworzyło duet muzyczny z czymś martwym i zrobionym przez człowieka, pod czym stał nasz niebieski ford. Była to piękna, a zarazem bardzo dziwna muzyka. Szelest i skrzypienie. Pomyślałem, że można by to komputerowo opracować i fajną płytę nagrać. Wiata chwiała się we wszystkich kierunkach. Nie wiedziałem, jak ją usztywnić, ale przecież był Herbert. I ten cudowny człowiek doradził mi, abym poszedł do szefa, poprosił o kartę do OBI i pięćdziesiąt euro i pojechał naszym fordem po sześć heblowanych desek o długości dwóch metrów, szerokości dziesięciu centymetrów i grubości pięciu. Zrobiłem, jak mi Herbert doradził, i przywiozłem nie sześć, ale siedem desek, bo tę siódmą kupiłem za pół ceny, ponieważ była ostatnia. Herbert przyszedł z kartką papieru i narysował mi to, co miałem zrobić. A ja z drżeniem serca, pierwszy raz w życiu używając piły elektrycznej, docinałem te sześć desek pod kątem, który sobie wcześniej wymierzyłem i zaznaczyłem ołówkiem. I sunąłem wzdłuż tych zaznaczonych linii, a piła piszczała i przekazywała przez deskę przyjemne drżenie moim dłoniom. Kiedy wszystkie były już przecięte, powsadzałem je krzyżakowo, tak jak kazał Herbert, między drewniane słupki wiaty, używając również pierwszy raz w życiu wiertarki z końcówką śrubokręta. Powkręcałem długachne wkręty, przewiercając się przez moje pięknie przycięte heblowane deski i łącząc je z drewnianymi słupkami na amen. Tak z obydwu stron zrobiłem i z tyłu też. A kiedy skończyłem przykręcanie krzyżaków i zacząłem poruszać wiatą, a ona nie chciała się już chybotać i stała dumnie wyprostowana, przechodziło obok dwóch inwalidów z naszego budynku. Przystanęli, zaczęli bić mi brawo i chwalić, jak to pięknie usztywniłem. Czułem się wtedy jeszcze bardziej dumny niż w dniu, w którym odbierałem dyplom uniwersytecki, a mój ojciec wręczył mi w nagrodę srebrnego roleksa. I gdy tamtych dwóch odeszło, spojrzałem na lipę i pomyślałem, że smutno jej będzie, bo wiata już się nie kiwa i nie skrzypi, i nie mogą teraz razem grać w duecie. Żeby nie było im smutno, połączyłem je znowu razem tą siódmą belką, którą kupiłem za połowę ceny. Potem przyszedł szef, a za nim Herbert. Szef powiedział, że pięknie to zrobiłem, równo i elegancko, i tak inteligentnie połączyłem drzewo z wiatą, i przez to wiata zyskała na stabilności. I kiedy szef mnie chwalił, Herbert jakoś posmutniał. Na koniec rzucił w moją stronę zimnym rozkazem, jak w wojsku:

– Pociągnij teraz te deski bejcą, żeby nie zgniły.

Tak zrobiłem, a kiedy pięknie wybejcowałem deski, przyszedł szef i powiedział, że zaprasza mnie na obiad, żebym wyprowadził z wiaty naszego forda i pojedziemy gdzieś razem. Herbert stał wtedy z boku i palił papierosa, i jeszcze bardziej posmutniał. Pojechaliśmy do

dwudziestej dzielnicy. Szef powiedział, żebym sobie
zamówił, co chcę, firma stawia. To zamówiłem dwie
harmonie żeberek z rusztu i pieczone ziemniaki, a szef
filet z łososia w sosie koperkowym. I czułem się ważny,
jedząc te żeberka, bo szef, zanim zatopił widelec w file-
cie, jeszcze raz mnie pochwalił za te krzyżaki.

    – Wie pan, u nas zarobi pan mniej niż połowę tego,
co pan w komputerach zarabiał, ale pracuje pan tylko
pięć dni w tygodniu od dziewiątej do piętnastej. Ma pan
zawsze wolny weekend, sześć tygodni płatnych waka-
cji, przerwę zimową, trzynastą i czternastą wypłatę,
może pan pożyczać forda i ma pan obiady w naszej sto-
łówce każdego dnia za jedyne dwa euro dwadzieścia
centów. Tak że ogólnie rzecz biorąc, nie jest źle, prawda? – powiedział szef.

5

Obok naszego domu stała szopa, w której schowane
były narzędzia do pracy w ogrodzie. Szopę zrobił Herbert i bardzo się zasmucił pod koniec jesieni, kiedy szef
kazał mi ją zdemontować, bo na tym miejscu chciał postawić małą kawiarenkę, w której miał zamiar sprzedawać ciasteczka wypiekane przez naszego eksmajora. Ja
się już wtedy bardzo wciągnąłem w prace i żadna ma-
szyna ani żadne urządzenie nie miało dla mnie tajemnic.

Coraz rzadziej prosiłem o radę Herberta, bo poczułem, że kiedyś w życiu się pomyliłem, ale dzięki Bogu w porę się ocknąłem, choć rodzina i znajomi śmiali się ze mnie i uważali za dziwaka. Byłem szczęśliwy z tymi kosiarkami, piłami i młotkami. Rozbierałem, rozkręcałem szopę Herberta, a potem jeszcze raz i jeszcze piękniej postawiłem ją na nowo po przeciwnej stronie budynku. I znowu przyszedł szef, i znowu mnie pochwalił. A Herbert od tamtej pory coraz rzadziej ze mną rozmawiał. Gdy przychodziłem na obiad do stołówki, nakładał mi najmniejsze porcje.

Ludzie bardzo mnie polubili. Stałem się częścią społeczności, częścią naszego domu. Kiedyś kierowcy, którzy każdego ranka przywozili do domu, a po południu odwozili mikrobusami inwalidów, tych psychicznie upośledzonych, tych, którzy w salach zajęciowych sklejali wiatraczki i szyny do kolejek, zapomnieli o czterech chłopakach i szef poprosił mnie, abym wyjechał z wiaty naszym niebieskim fordem i poodwoził ich do domów. Tamtego popołudnia zwiedziłem cały Wiedeń, bo żaden z nich nie potrafił wytłumaczyć, gdzie jechać. O zmroku wróciłem pod dom. Miałem klucze, postanowiłem wejść do sekretariatu i pospisywać adresy. W kuchni paliło się światło, słychać było podniesione głosy. Herbert wykrzykiwał do szefa moje imię. Kiedy usłyszeli trzaśnięcie drzwiami, zamilkli. Szef wyszedł i przeprosił mnie za niedopatrzenie. Na karteczce podał mi adresy. Potem z kuchni wyszedł Herbert i zmierzył mnie takim wzrokiem, że ciarki przeszły całe moje ciało.

Zbliżały się święta. Przy pomocy kilku podopiecznych przystroiliśmy najpiękniej, jak potrafiliśmy, nasz dom. Herbert w szale wypiekał pierniki. Po dziesięć sztuk pakował w celofanowe torebki, na każdej naklejał nalepkę, na której było napisane, że te oto pierniki upiekli inwalidzi. Kiedy wyprodukował ich kilka tysięcy i te kilka tysięcy zapakował, dostałem od szefa listę firm, do których miałem te pierniki porozwozić. Na liście był również Dom Gejów i Lesbijek. Dobrze znałem ten budynek, bo wyróżniał się spośród innych stojących obok kanału tym, że cały był pomalowany na różowy kolor. Pierniki, które tam wiozłem, były specjalne, bo na każdym z nich Herbert umieścił uformowane z różowego marcepana dwa ludziki trzymające się za ręce. W każdej z firm i instytucji kasowałem gotówkę i podpisywałem się. Gdy wszystko porozwoziłem, wróciłem do naszego domu z furą pieniędzy. W gabinecie szefa w obecności sekretarki i Herberta przeliczaliśmy pieniądze za pierniki, jeszcze raz sprawdzaliśmy rachunki, a na sam koniec szef włożył te pieniądze do sejfu wmurowanego w ścianę. Kiedy zobaczyłem, że jest w nim dużo innych banknotów, zapytałem:
– Nie boi się pan tego tu tak trzymać, nie lepiej do banku to włożyć?

Szef uśmiechnął się tylko i znowu mnie pochwalił, mówiąc, że dobrze się sprawiłem z tymi piernikami.

– Pięknie je pan porozwoził i kupę pieniędzy przywiózł, zgadza się wszystko co do centa. Warto mieć tu w domu takiego człowieka jak pan. Dziękuję.

Wtedy Herbert podniósł się z fotela i wybiegł z gabinetu, płacząc jak mały chłopiec.

6

Wiosną szef poszedł na dwutygodniowy urlop, a Herbert już całkiem przestał się do mnie odzywać. Potem dopadła mnie grypa i siedziałem na zwolnieniu przez tydzień. Męczyłem się w domu bardziej z powodu nieobecności w pracy, za którą naprawdę tęskniłem, niż z powodu paskudnego wirusa. Jeszcze słaby wróciłem do pracy i wtedy wziął mnie na stronę jeden z opiekunów.

– Uważaj na Herberta – powiedział. – Nigdy go już nie pytaj o radę i unikaj.

Zrobiłem wielkie oczy.

– Jak cię nie było, latał jak nawiedzony z listą i pytał wszystkich pracowników, co myślą o tobie. Wykrzykiwał, że wszystko musi za ciebie robić, że sam nic nie potrafisz, że omotałeś szefa, a ten przestał dostrzegać, że wszystko co jest i było w domu zrobione, to wyłącznie dzięki niemu. No i prosił, abyśmy się podpisywali na tak albo na nie. Wszyscy się podpisali na tak. Ludzie nie mają nic do ciebie. Dobrze pracujesz, dobry kumpel z ciebie. Tak mu mówiliśmy. No i wtedy szczęka mu opadła. Uważaj, Herbert jest w szefie zakochany, ale szef nie odwzajemnia tych uczuć. Szef to szef.

Pewnego dnia przyjechali z magistratu i zrobili pomiary, a potem zawołał mnie szef i powiedział, że dostaliśmy pozwolenie na wybudowanie tej kawiarenki i że trzeba będzie ściąć śliwę. Piękne to było drzewo, a przeszkadzało. Ta śliwa nie chciała spokojnie odejść. Stępiłem na niej trzy siekiery i każdą z nich pozbawiłem styliska. Pękały jak zapałki. Wreszcie legła jednak na ziemi. Pozostał pień, którego też musiałem się pozbyć. Teren pod kafejkę miał być całkowicie płaski. Próbowałem się podkopać, jeszcze go skrócić. Ale następne siekiery padały, a ja dorobiłem się strasznych pęcherzy. Herbert wychodził na papierosa i śmiał się ze mnie. A ja się zawziąłem i obiecałem sobie, że bez jego pomocy pozbędę się tego pnia. Pojechałem do OBI, kupiłem największą siekierę, taką na długaśnym stylisku, z obuchem przypominającym potężny młot. Kupiłem też dwa metalowe kliny. Kiedy wróciłem, obandażowałem sobie dłonie i zacząłem z całej siły walić w pień, aż powstały głębokie szczeliny. Najpierw jedna, potem przecinająca ją druga. W te szczeliny wsadziłem metalowe kliny i z impetem waliłem obuchem. Słyszałem, jak pień zaczyna jęczeć, stękać, wreszcie kapituluje i pęka.

Herbert, widząc moją wiktorię, zasmucił się i odszedł, pozostawiając na ziemi połówkę tlącego się papierosa.

Następnego dnia, a był to piątek, postanowiłem na-reperować wszystkie siekiery, które popsułem przy ścinaniu śliwy. Naostrzyłem je, osadziłem na nowych styliskach, a na końcu każdego wywierciłem otwór. Potem wziąłem wiertarkę i w moim gabinecie narzędziowym wywierciłem kilka dziur w ścianie. Dokładnie tyle, ile było siekier. Do tych dziur wsadziłem kołki rozporowe i wkręciłem w nie śruby, pozostawiając jedną trzecią długości na zewnątrz. Potem wieszałem każdą siekierę na wystającej śrubie, a one ułożyły się w piękny rządek. To przypominało bardziej nasz wiedeński Arsenał i oręż rycerski dumnie eksponowany na ścianach niż jakieś zwykłe siekiery zawieszone w piwnicznym pomieszczeniu spółdzielni pracy inwalidów. Patrzyłem na te moje siekiery z wielką dumą i żeby postawić kropkę nad i, zawiesiłem nad nimi, ale równoleżnikowo, sprawczynię mojej wiktorii, tę największą, najdłuższą, z młotem po drugiej stronie ostrza. Teraz stałem naprzeciwko tej niesamowitej kolekcji, tej siekierezady, i patrzyłem na nią, lecz uniesienie zakłócił Herbert, który wpadł do narzędziowni niby po gwoździe. I zobaczył mnie, jak stoję i przyglądam się. Po raz pierwszy od wielu, wielu miesięcy wypowiedział zdanie pod moim adresem. – Ładna kolekcja – tak powiedział i szybko wyszedł.

Szedłem z wielką radością w poniedziałkowy poranek do pracy. Nie spodziewałem się niczego innego, jak tylko pochwały za dobrą robotę i staranne przygotowanie gruntu pod budowę kawiarenki. Kiedy wszedłem na drugie piętro, zobaczyłem drzwi do sekretariatu rozwalone w barbarzyński sposób. Przeszedłem przez nie i minąłem drzwi gabinetu. Też posiekane. Powitały mnie zakłopotane oblicza szefa, sekretarki i mundurowego. Na parkiecie leżał wyrwany ze ściany i otworzony pusty sejf, a obok niego sterta połamanych siekier. Na tej stercie leżała również ta najpiękniejsza, na długim stylisku i z młotkowym obuchem. Panowała złowieszcza cisza, lecz przerwał ją głos policjanta. Zapytał, czy to ja. Tamci równocześnie skinęli głowami. Za chwilę w gabinecie pojawił się Herbert. Sierżant wyjaśnił mi, że dokonano włamania za pomocą właśnie tych siekier i że zbierają odciski palców wszystkich pracowników. Brakuje tylko moich. Herbert stanął obok szefa i ślicznie się do mnie uśmiechnął.

Kołysanka dla Josefka

Lecą bomby z nieba
Zrzucają je Anglicy
Nie bój się Josefku
Schowam cię w piwnicy
Luli laj

Siedzimy bezpieczni
W tej naszej piwnicy
Nic nie zrobią nam
Ci straszni Anglicy
Luli laj

Ta nasza piwnica
Jest mokra i ciemna
I choć tydzień minął...

Magister Helga Bauer patrzyła prosto w błękitne, do-
brotliwe oczy Josefka, z których polały się łzy tak duże

i ciężkie, że kiedy rozbiły się o podłogę, opryskały jej czerwone lakierki. Josefek drżał i nie przestawał płakać. Magister Helga Bauer wyjęła z torebki paczkę chusteczek higienicznych. Odkleiła niebieski pasek i podała mu kilka sztuk.

– Niech pan przestanie – powiedziała. I kiedy zdała sobie sprawę, że znowu zwróciła się do niego per pan, zaraz poprawiła się: – Nie płacz, Josefie, proszę, przestań.

A Josef, smarkając głośno i wycierając nos w chusteczki, zaczął jeszcze bardziej łkać. Zrozumiała, że jeśli nie przełamie się wewnętrznie, nie wdrukuje w głowę, że ten ponadsiedemdziesięcioletni mężczyzna nie życzy sobie, aby mówiono do niego „pan", to odwiedziny pójdą na marne. Na to nie mogła sobie pozwolić, bo przecież siedział przed nią prawie gotowy doktorat.

– Mamusiu, tak za tobą tęsknię, przepraszam cię za ten strych – powiedział Josef.

– Josefku, jaki strych? Dlaczego przepraszasz swoją mamusię? – zapytała pani magister Helga Bauer, ale Josef nic jej nie odpowiedział. Nacisnął guzik wystający z blatu biurka, po czym wstał i wyszedł.

Po miesiącu Josef jakby się otworzył. Związane to było jednak raczej z tabletkami, które zgodził się przyjąć. Z dnia na dzień popadał w coraz straszliwszą depresję. Raz nawet zgodził się mówić, ale znowu nacisnął guzik, zanim zaczął. Kiedy wychodził, powiedział, że bez misia nie jest w stanie opowiadać, jeśli więc załatwią mu pluszowego misia o długości do czterdziestu centymetrów, to może spróbuje. Magister Helga Bauer i tym razem nie straciła zimnej krwi. Ciepłym głosem powiedziała:

– Josefku, idź odpocząć, a jak się jutro spotkamy, to przyniosę ci pięknego pluszowego misia, dobrze?!

Josefek pokiwał głową i wyszedł.

Następnego dnia magister Helga Bauer, czekając w rozmównicy na Josefa, trzymała na kolanach brązowego pluszowego misia z czarnymi oczkami i wychodzącym z mordki malinowym filcowym języczkiem. Josef bardzo długo mu się przyglądał, dotykał i wąchał. Na koniec wcisnął zielony guzik. Po chwili do sali wszedł strażnik, a Josefek ściszonym głosem poprosił go o metr krawiecki. Strażnik bez słowa wyszedł i po paru minutach wrócił z metrem w dłoni.

– Skąd go pan tak szybko wytrzasnął? – zapytała bardzo zdziwiona magister Helga Bauer, a strażnik z dumą odpowiedział, że w celi numer pięć siedzi człowiek, który każdego dnia mierzy sobie przyrodzenie, i że bardzo chętnie pożyczył ten metr. Na ustach pani magister Helgi Bauer pojawił się grymas.

Josefek położył misia na stole i dokładnie przyłożył miarkę do czubka jego ucha, a potem, przytrzymując w okolicach brzuszka, dojechał do zakończenia stopy. Pokręcił głową.

– Ja, droga pani, jestem inżynierem. Dla mnie każdy milimetr... Jestem człowiekiem dokładnym i skrupulatnym, a dom, w którym mieszka moja rodzina... – W momencie kiedy wypowiedział słowo „rodzina", głos mu się lekko załamał. Przez chwilę milczał, pochylając się nad brązowym misiem. Przełknął ślinę. – Dom, w którym mieszka moja rodzina, sam projektowałem. Jest komfortowy i bezpieczny. Ale wszystkie obliczenia się zgadzały. A ten oto miś ma czterdzieści dwa centymetry. Ja pani powiedziałem, że zacznę mówić, jeśli dostanę misia o długości do czterdziestu centymetrów. Dwa centymetry, droga pani, to bardzo dużo. Na przykład dla sportowca dwa centymetry to być albo nie być. To złoto albo srebro, albo brąz, albo upokorzenie do końca życia. Rozumie pani?! W zaistniałej sytuacji jestem zmuszony odmówić współpracy.

Już miał dotknąć przycisku na blacie, ale magister Helga Bauer powiedziała:

– Chwileczkę, Josefku. Powiedziałeś mi, że miś ma mieć do czterdziestu centymetrów długości, ale nie podałeś dolnej granicy. Jeśli uściślisz swoją prośbę, a przecież jesteś inżynierem i istnieje u was coś takiego jak tolerancja błędu, to obiecuję ci, że jutro przyjdę do ciebie z misiem wymiarowym.

Josefek bez zastanowienia wyrecytował pewnym głosem:

– Od trzydziestu pięciu do czterdziestu. Miś ma mieć od trzydziestu pięciu do czterdziestu centymetrów.

Zadzwonił po strażnika i wyszedł, a magister Helga Bauer wstała z krzesła i ujęła niechcianego misia w dłonie. Przytuliła go do policzka i pocałowała w malinowy filcowy języczek, ale kiedy kątem oka zauważyła leżący na stole metr krawiecki i przypomniała sobie słowa strażnika, z obrzydzeniem cisnęła misiem o podłogę. Pani magister Helga Bauer całe popołudnie spędziła w centrum miasta. Najpierw odwiedziła sklep z pasmanterią, gdzie kupiła metr krawiecki, a potem zajrzała do trzech sklepów z zabawkami. Dopiero w ostatnim znalazła wymiarowego misia. Nie spodobał się jej, bo był biały i miał czerwone oczy. Obawiała się, że jeśli kupi albinosa, to Josefek kategorycznie i ostatecznie odmówi, i ona już nigdy nie napisze wybitnej pracy doktorskiej, wróciła więc do więzienia i poprosiła więziennego lekarza o lateksowe rękawiczki. Brązowy miś leżał dokładnie tam, gdzie nim cisnęła. Włożyła rękawiczki i podniosła go z podłogi, a następnie wsunęła pewnym ruchem do reklamówki. Wróciła do mieszkania i wrzuciła misia do pralki. Z drżeniem serca czekała, aż skończy się program. Wilgotną zabawkę wsadziła do suszarki. Kiedy tylko czerwone światełko zgasło, szybko otworzyła drzwiczki. Miś wyglądał koszmarnie, bo od walenia główką w bęben stracił czarne szklane oczka. Pani magister Helga Bauer przyłożyła metr krawiecki do czubka ucha, potem zatrzymała się na brzuszku, aby od tamtego miejsca dojechać taśmą do końca stopy. Na jej twarzy wykwitły pąsy. Nerwowo przygryzła wargę, odłożyła metr, spojrzała na misia i jeszcze raz, może nawet z większym namaszczeniem, powtórzyła mierzenie.

Podskoczyła z radości: miś skurczył się w praniu o trzy centymetry! Trzydziestodziewięciocentymetrowego misia Josefek będzie musiał zaakceptować, a tym samym zacząć opowiadać. W miejsce utraconych czarnych oczu naszyła dwa zielone guziki i nie mogła doczekać się ranka.

– Tak, kiedy ci straszni Anglicy zaczęli bombardować nasze miasteczko, mamusia ukryła mnie w piwnicy. Ta piwnica miała małe okienko, które mogło nas zdradzić, więc mamusia zabiła je deskami. Mamusia to miała dużo siły w rękach. Była bardzo sprawna fizycznie i uważam, że to ją, a nie ojca, powinni wcielić do wermachtu. Tatuś z wojny nie wrócił. Nie wiem, czy zginął gdzieś na froncie, czy po prostu przepadł albo zdezerterował i przedostał się do Francji, o której zawsze marzył. Pamiętam taki obrazek: siedzimy z mamusią w kuchni, a on wchodzi ze spiętymi z tyłu włosami. Na ustach szminka, powieki pociągnięte błękitem, policzki upudrowane, rzęsy i brwi też pomalowane. Miał na sobie czarny gorset i parę damskich majtek, a na nogach czarne pończochy i buty na wysokich obcasach. Jak go mamusia zobaczyła, to o mało się nie udławiła owsianką. A tatuś podszedł do mnie, pogłaskał po główce i zapytał, czy mi się podoba jego ubranie. To mu szczerze odpowiedziałem, że bardzo, bo rzeczywiście wyglądał imponująco. Tatuś podszedł do radioodbiornika i zaczął kręcić gałką. Długo kręcił, bo niczego ciekawego nie grali, więc wyłączył radio i zaczął stepować, nucąc przy tym melodię kankana. Wiem, że to się tak nazywało, bo tatuś podczas występu powiedział: „Synku, to jest kankan, zapamiętaj to sobie". Kiedy mamusia wybiegła z kuchni z płaczem, tatuś przestał tańczyć, znowu podszedł do mnie i na ucho powiedział, żebym się nie martwił, że mamusia wybiegła, bo jest bardzo wrażliwa na sztukę. Potem mnie znowu pogładził po główce. Po chwili dodał, że musi na chwilę wyjść i że jak wróci, to owsianka ma być skończona, bo będzie czekać na mnie niespodzianka. To ja bardzo szybko zjadłem owsiankę i czekałem na tatusia. I tak sobie patrzyłem w okno i widziałem przelatujące ptaki i słońce, i pranie w naszym ogródku, rozwieszone na białych sznurach. A po chwili zobaczyłem tatusia w tym jego stroju. Zdejmował pranie i wkładał je do kosza, a jak już wszystko pozdejmował, poodcinał sznury i zwinął je. Kiedy nie było już prania w ogródku, to lepiej mi się patrzyło przez to okno, więcej i dalej widziałem; zamyśliłem się. Wyobraziłem sobie tatusia w paryskim cyrku, tańczącego tego kankana. Widzę, jak publiczność bije mu gromkie brawa, a ja siedzę w pierwszym rzędzie i duma mnie rozpiera. A kiedy brawa milkną, tatuś podchodzi do mnie i bierze mnie na scenę, i przez ogromną tubę oznajmia publiczności: „To jest mój ukochany syn, Josef!". I wtedy rozlegają się jeszcze silniejsze oklaski, a ja kłaniam się w pas, a publiczność nie może przestać klaskać, a ja dalej kłaniam się najpiękniej, jak potrafię.

Ten mój sen na jawie przerwał jakiś podejrzany dźwięk i po chwili w kuchni pojawili się tatuś z mamusią. Tatuś miał wetknięte w tyłek strusie pióra i trzymał mamusię na sznurze. Tym samym, na którym jeszcze przed chwilą wisiało pranie. Tatuś krzyczał: „No ujadaj, ujadaj, ty dolnoaustriacka suko. Kankana ujadaj.". I kiedy mamusia ujadała, tatuś tak pięknie tańczył, że aż dech mi zaparło. Zacząłem podskakiwać i bić brawo, a mamusia ujadała przez łzy, bo było jej bardzo niewygodnie z tym sznurkiem na szyi. Tak, tej sceny nie zapomnę do końca życia, była piękna i zarazem okrutna, ale w okrucieństwie też jest piękno, prawda?

Pani magister Helga Bauer ze zgrozą w oczach przytaknęła. A Josefek oberwał misiowi zielony guziczek zastępujący prawe oczko i mocno przytulił go do serca.

– Ja się nawet przestałem bać tych bombardowań, bo kiedy mamusia zabiła to okienko i była pewna, że nic nam nie grozi, to pewnego dnia zapaliła świeczki i to był bardzo nastrojowy wieczór... Albo ranek... albo popołudnie... Wszystko jedno. I mi się w tej piwnicy zaczęło nawet podobać, bo mamusia regularnie podnosiła jej standard. Kiedy bombardowania stały się rzadsze, pozwalała zapalać światło i tuliła mnie do snu, i śpiewała mi kołysanki, a ja czułem się tak bezpieczny i kochany, aż obiecałem sobie w duszy, że kiedy dorosnę, kiedy skończy się ta upiorna wojna, to też będę się opiekował mamusią. A jeszcze później, kiedy założę swoją rodzinę, zbuduję dom, nawet dwa domy, i w każdym będę miał piwnicę, ale taką, która będzie bardzo wygodna. Pamiętam, kiedy bombardowania już całkiem ustały, mamusia wyprawiła mi urodziny. Ja chciałem na górze w kuchni. Tam było więcej miejsca i cieplej, ale mamusia powiedziała, że w piwnicy będzie lepiej, bardziej romantycznie. Tamtego dnia bardzo brakowało mi ojca. Chciałem, żeby był przy mnie i żeby związał mamusię sznurkiem jak wtedy, i żeby się przebrał w te swoje ciuszki, pomalował usta, i żeby mamusia wyła kankana, a on tańczył w jego rytm. Ale nie wszystko można mieć, prawda?!

Josefek w tym momencie puścił oko do pani magister Helgi Bauer. A ta kiwnęła głową. Josefek oberwał misiowi drugi zielony guziczek, zastępujący lewe oczko.

– No tak, właśnie tego dnia dostałem od mamusi pluszowego misia w prezencie. O, ten od pani jest nawet trochę do tamtego podobny. Mamusia mi wtedy powiedziała, że od tej chwili nigdy już nie będę sam, bo kiedy ona odejdzie, to pozostanie ten miś.

Wypowiadając te słowa, Josefek zatopił dwa palce w miejscach po oberwanych guziczkach.

– Rosłem, wojna się skończyła, chodziłem do szkoły i wszystko wydawało mi się piękne i radosne. Tylko czasami marzyłem o kartce z Paryża, o kartce od mojego tatusia, bo w głębi duszy wierzyłem, że nie zginął od kuli jakiegoś Rosjanina, że tańczy sobie kankana w tym pięknym mieście i jest szczęśliwym człowiekiem. Więc kiedy byłem już prawie dorosły, postanowiłem odwdzięczyć się mamusi, zaopiekować się nią tak samo, jak ona opiekowała się mną. A może jeszcze bardziej.

Ponieważ podupadła na siłach i potrzebna jej była wygoda, zaproponowałem, że zamknę ją w piwnicy. Mamusia kategorycznie się sprzeciwiła, ale ja wiedziałem, że jest już w podeszłym wieku i nie do końca zdaje sobie sprawę, co jest dla niej dobre. Więc umieściłem mamusię w piwnicy i zamykałem ją na trzy spusty, kiedy szedłem do szkoły. Zawsze zostawiałem jej nocniczek, coś do picia i jedzenia oraz kilka ciepłych koców. A kiedy wracałem ze szkoły, otwierałem drzwi i opowiadałem jej, jaka jest pogoda i jakie oceny dostałem, a potem znowu ją zamykałem i szedłem na górę gotować obiad. I tak minęło nam w spokoju, miłości, wzajemnym poszanowaniu i bezpieczeństwie kilka lat. Zdałem maturę. Mamusia była ze mnie bardzo dumna i kiedy pokazałem jej świadectwo, rozpłakała się i mocno mnie uścisnęła, a ja jej powiedziałem, że może mieć teraz jakieś życzenie, bo dziś wszystkie spełniam. Mamusia powiedziała, że już niebawem wybierze się na tamten świat i już teraz chciałaby być bliżej Pana Boga. No i czy w takim razie nie mógłbym jej z piwnicy przenieść na strych. Mamusię bardzo kochałem i z tej miłości się zgodziłem, choć cały czas sądziłem, że w piwnicy byłoby jej lepiej i bezpieczniej, a mnie bliżej do kuchni i do ubikacji z tym jej nocniczkiem. Czego jednak nie robi się dla ukochanej matki. Postawiłem jeden warunek.

Powiedziałem, że przeniosę ją na strych, ale wychodząc z domu, będę ją przywiązywał do krzesła albo łóżka, tak dla większego bezpieczeństwa, żeby sobie krzywdy nie zrobiła. Z tych przenosin wynikły pewne komplikacje, bo kiedy byłem poza domem, mamusia często ładowała w łóżko i ten strych bardzo brzydko zaczął pachnieć. A kiedyś zapomniałem ją związać i mamusia widocznie chciała sama wziąć kąpiel, i spadła z tych stromych schodów, i wyzionęła ducha. I tak zostaliśmy sami. Ja i mój miś. Bardzo płakałem na pogrzebie i długo przesiadywałem w piwnicy, wspominając te piękne chwile razem. Strych znienawidziłem. Gdybym się nie ugiął... Mogłaby przecież w piwnicy dożyć jeszcze dojrzalszych lat. Ale takie jest życie, człowiek popełnia błędy, prawda? – I Josefek znowu pięknie spojrzał w oczy pani magister Helgi Bauer.

– Byłem bardzo samotny. Zacząłem studiować inżynierię i właśnie na studiach poznałem żonę. To była ciepła osoba, prawie tak jak moja świętej pamięci mamusia. O, zapomniałbym, a to jest bardzo ważne: niespodziewanie okazało się, że jestem bogaty. Pewnego dnia otrzymałem pismo od notariusza. W tym piśmie było napisane, że mój ojciec miał sporo pieniędzy zamrożonych w szwajcarskim banku i te pieniądze zapisał mnie. Nie dochodziłem szczegółów. Skąd miał te pieniądze, jak się znalazły w Szwajcarii? Wyobraziłem sobie, że tatuś zdobył je uczciwie, bo dla mnie. W czasie studiów pobraliśmy się i urodziła się nam córka. Śliczna dziewczynka. Bardzo ją kocham. Zresztą wszystkie moje dzieci bardzo kocham i tęsknię za nimi...

Josef znowu zaczął łkać jak mały chłopiec, z jego niebieskich oczu popłynęły łzy wielkości grochu, które wtarł w brzuszek pluszowego misia.

– No tak, rozklejam się, ale musi mnie pani zrozumieć. Jesteśmy bardzo zżyci i tęsknimy za sobą. Postanowiłem, że za pieniądze od tatusia zbuduję dom, dom, który będzie stał obok mojego starego. Zbuduję dom z wielką piwnicą, a ta piwnica będzie równie piękna i wygodna, jak ten nowy dom. I połączę tunelem te dwa domy, te dwie piwnice, żeby była ciągłość. Tak uczyniłem. Dom stanął obok starego domu, a piwnica nowego była połączona podziemnym tunelem ze starą piwnicą. Ten tunel był iluminowany i piękny, aż chciało się nim przechodzić i odwiedzać, i przypominać, kiedy mamusia śpiewała mi tę kołysankę, a ci straszni Anglicy nic nie mogli nam zrobić. Nowa piwnica była klimatyzowana, przytulna. Cztery pokoje, dwie łazienki i dwie ubikacje, kuchnia. Wszystko, czego można wymagać od nowoczesnego mieszkania. Ta piwnica miała jeszcze jedną zaletę. Dawała to, czego nie da ci żadne mieszkanie. Bezpieczeństwo, anonimowość i wolność! Drzwi wstawiłem podwójne. Drzwi do tunelu też były podwójne. Całkowite bezpieczeństwo! Moja żona trochę się na początku dziwiła, ale kiedy zaczynaliśmy sobie z nią i córką przechodzić przez ten tunel, kiedy spędziliśmy kilka nocy a to w jednej, a to w drugiej piwnicy, wtedy się przyzwyczaiła i nawet kiedy byłem w pracy, przesiadywała na dole z naszą córeczką. Wie pani, przez to, że jestem jedynakiem i zawsze cierpiałem z tego powodu, postanowiłem mieć dużo dzieci, ale moja ukochana żona nie mogła ich już więcej urodzić. I boleliśmy wspólnie, widząc, że ten kraj, który kiedyś oparł się Turkom, ginie. Wiedeń jest dziś przez nich zalany. Mnożą się i korzystają z naszych pieniędzy. Wiedeńczycy są głupi. Nie wyciągnęli lekcji z historii. Nie mają dzieci, tylko psy. Cała nasza stolica jest obesrana przez te psy.

Córka stawała się kobietą. Widziałem, jak się podmywa. Widziałem, jak jej sutki pęcznieją i powoli zmieniają się w piersi. Widziałem, jak jej kanciasta figura zaokrągla się, a pupcia zaczyna wystawać. I widziałem, jak pierwszy raz krwawiła, i wtedy jeszcze bardziej ją kochałem. Zabierałem ją ze sobą do nowej piwnicy i tuliłem do snu, a kiedy spała, dotykałem tam, gdzie nie dałaby się dotknąć, gdyby nie spała. I zakochiwałem się w niej bardziej i bardziej. Wiedziałem, że było jej dobrze, bo tylko ojciec może naprawdę wiedzieć, kiedy dziecku jest naprawdę dobrze. Szczęśliwy byłem w tej piwnicy razem z nią, moją córką. Czułem, że za rok albo dwa może mi dać to, czego nie mogła mi już dać żona. Schodziliśmy coraz częściej na dół, a któregoś dnia zacząłem ją dotykać, zanim zasnęła. Widziałem zaniepokojenie w jej oczach, strach, ale ją przytuliłem mocno do siebie i uspokoiłem, powiedziałem, że jest bezpieczna, że nic jej nie grozi, że będzie jej dobrze. Pamiętam, że jeszcze trochę opierała się, jeszcze trochę się bała, lecz kiedy zacząłem całować ją w czoło i powieki, widziałem, że rozluźnia się i zaczyna mi ufać. Rozebrałem ją i przykryłem kołdrą, sam też się rozebrałem. Wziąłem jej dłoń w moją dłoń i kazałem się tam dotykać, a potem puściłem jej dłoń, a ona już sama z siebie... Nie trzeba było długo czekać. Wytrysnąłem jak fontanna. Syczałem z rozkoszy i było mi najpiękniej na świecie, bo do tego doprowadziła mnie moja córka, krew z mojej krwi i kość z mojej kości. Pamiętam, że po tym zdarzeniu boczyła się na mnie przez kilka dni i ze strachem spoglądała na swoją matkę, ale po tygodniu poszliśmy znowu do piwnicy i wtedy już sama mi to zrobiła. Na początku cała nasza miłość ograniczała się do pieszczot i pocałunków, ale to było zbyt mało, to było zbyt małe doznanie, więc zapragnąłem jej pięknej, krągłej pupy i to dawało mi jakieś spełnienie. Byliśmy już bardzo blisko i rozkochałem ją w sobie jak w mężczyźnie. Już nigdy nie popatrzyła na mnie z wyrzutem. Postanowiłem, że dam jej specjalny prezent na jej piętnaste urodziny, powiedziałem, że uczynię ją prawdziwą kobietą i żoną, że chcę mieć z nią dzieci, dużo dzieci. Tyle, ile chciałem mieć z jej matką, a jak się uda, to może jeszcze więcej. Wydaje mi się, że jeszcze wtedy nie bardzo rozumiała, o czym mówię. Chciałem ją jakoś bardziej przygotować na ten wielki dzień. Kupiłem świece zapachowe, a w sklepie z kwiatami zamówiłem wianek z margerytek i piętnaście śnieżnobiałych róż. No i byliśmy już razem, jednym ciałem, na wieki. Potem córka zaszła w ciążę i trzeba było coś z tym zrobić. To znaczy ja byłem bardzo szczęśliwy, ale ona chodziła do szkoły i moja żona chyba jeszcze niczego nie podejrzewała. Chciałem jej o wszystkim opowiedzieć, nie obawiałem się, bo wiedziałem, że mnie kocha i kocha naszą córkę, i nie da nam zrobić krzywdy. Rozpłakała się i chodziła struta przez kilka dni, ale w końcu powiedziała, że nikt się nie może o tym dowiedzieć, że to będzie nasza tajemnica. Córka musiała oficjalnie zniknąć, nie mogła chodzić z brzuchem do szkoły. Wpadliśmy na pomysł, żeby sfingować jej ucieczkę z domu. Byłem szczęśliwy, bo w ten sposób mogła już na stałe zamieszkać w naszej piwnicy. W poniedziałek nie poszła do szkoły, a ja zgłosiłem jej zaginięcie na policji. I już w spokoju mogła doczekać porodu na dole. Pewnego dnia, chyba już była w czwartym albo piątym miesiącu, podyktowałem jej list. Napisała w nim, że wstąpiła do sekty, że nas kocha i modli się za nas, ale już nigdy nie może nas zobaczyć, bo tego wymaga od niej Bóg, grupa i mistrz. W tym pięknym liście żegnała się z nami na wieczność. Kazałem jej również własnoręcznie zaadresować i zakleić kopertę, i kiedy byłem w Linzu, wysłałem ten list do nas, a jak już doszedł, poszedłem z nim na policję. Mieliśmy spokój.

Żona pomogła mi przy porodzie. Poszło gładko. Nie sądziłem, że to taka prosta sprawa. Śliczną córeczkę urodziła nam moja córka. Myśmy prowadzili całkiem normalne życie. Przez część dnia byłem na górze, a potem przez resztę i najczęściej nocą z moją córką i naszą córeczką. Dziecko rosło i dobrze się rozwijało, nie chorowało. No tak, to były piękne i spokojne lata. Pełne rodzinnej miłości i wzajemnego zaufania. Córka urodziła nam w sumie siódemkę wspaniałych, ślicznych i mądrych dzieci. Ale ta siódemka okazała się pechowa, bo po niej przyszła ta straszna choroba. Córka zaczęła marnieć w oczach, słabła z dnia na dzień. Nie pomagały lekarstwa, które przynosiłem z miasta. Dostała wysokiej gorączki, majaczyła. Te majaki trwały dwa dni i kiedy wyszedłem na zakupy, żona zadzwoniła po pogotowie. Co było dalej, już pani wie...

Josefek znowu spojrzał pani magister Heldze Bauer w oczy z taką żałością, że ona również uroniła kilka łez.

Sąd uznał Josefa za winnego i ukarał go dożywotnim więzieniem. W rekordowym czasie napisano o nim kilka sztuk teatralnych i grubą książkę. Siedząc w więzieniu, stał się multimilionerem, sprzedawał prawa do historii swego życia. Tylko że po ujawnieniu sprawy Josefa w Dolnej Austrii jak grzyby po deszczu zaczęły pojawiać się podobne historie. Co kilka dni policja przeszukiwała piwnice, w których ponoć przez lata więzione były dzieci. Jak powiedział rzecznik rządu, podejrzewa się, że jest to odruch obronny społeczeństwa austriackiego przeciwko wszechogarniającemu

kryzysowi ekonomicznemu. Większość spraw piwnicz-
nych to zwykłe oszustwa, które mają na celu wyłudze-
nie pieniędzy od gazet i innych mediów. Austria mimo
to pozostaje spokojnym i stabilnym krajem.

Josefowi sąd odmówił spotkania z rodziną, natomiast
zapewnił, że postara się spełnić każdą inną prośbę. Ponieważ Josef stał się zamożnym więźniem i stać go było
na wiele rzeczy, poprosił naczelnika więzienia o zamianę
celi. Mówiąc ściśle, zaproponował wybudowanie na własny koszt luksusowej celi w piwnicy. Władze więzienia się
zgodziły i już wkrótce więzień Josef mógł, patrząc w sufit
swojej luksusowej piwnicznej celi, nucić pod nosem:

Lecą bomby z nieba
Zrzucają je Anglicy
Nie bój się Josefku
Schowam cię w piwnicy
Luli laj

Siedzimy bezpieczni
W tej naszej piwnicy
Nic nie zrobią nam
Ci straszni Anglicy
Luli laj

Ta nasza piwnica
Jest mokra i ciemna
I choć tydzień minął...

Stypendium

1

Leżę i patrzę w sufit. Sufit kręci się, zatacza koła i zaprasza mnie do wyjścia. W szafce pustki. Kiedy przestanie wirować, zacznie ssać, a jak zacznie ssać, to będzie źle. Musi wirować.

Stypendium w Wiedniu... Tysiąc pięćset euro miesięcznie, mieszkanie za darmo i te wszystkie bilety na imprezy kulturalne, na które nie chodzę. Cały rok, cały roczek mogę wirować. Na mojej ulicy są trzy sklepy: Billa, Spar i Hoferek. I w każdym sprzedają helikoptery. W Hoferku już od półtora. Takie właśnie na kaca kupuję. Szprycerka robię. Butelka białego wytrawnego i butelka sodówki, koniecznie nisko gazowanej. Pół na pół. Po szprycerku człowiek czuje się jak nowo narodzony i może sięgać po coś bardziej ambitnego. O, na przykład po czerwone, specjalna rezerwa, dwa tysiące czwarty, za cztery pięćdziesiąt. Wchodzi jak złotko. Potem trzeba poprawić merlocikiem z Południowego Tyrolu za trzy dziewięćdziesiąt dziewięć. A, zapomniałbym! W Hoferku sprzedają najtańsze szampany w Austrii. Piętnaście euro butelka! Bardzo dobre te szamponiki – tak je pieszczotliwie nazywam. Szamponiki piję w niedzielę, kiedy się kąpię. W wannie sobie piję. A w każdą sobotę o siedemnastej idę, a raczej lecę moim helikopterkiem do Hoferka, żeby zdążyć przed osiemnastą. Niedziela jest święta i sklepy są pozamykane. Ten dzień traktuję bardzo poważnie. Rodzice zawsze powtarzali: „Gdziekolwiek, synku, będziesz, gdziekolwiek cię los rzuci, o Bogu, synku, nie zapominaj". Mógłbym chodzić na mszę po niemiecku, znam dobrze ten język, ale mnie odrzuca. Tutaj, w Austrii, mają podatek kościelny. Ustanowił go Adolf Hitler. Nie z powodu wielkiej miłości do Boga, tylko po to, żeby łatwiej wyłapać Żydów. Więc nie chodzę do tych faszystowskich, pięknych, czystych, pustych kościołów i czuję zgodę z własnym sumieniem. Sumienie mam polskie, dlatego nawiedzam polski kościół. Podczas niedzielnej mszy opary alkoholowe unoszą się nad naszymi głowami. Ponieważ wszyscy jesteśmy albo jeszcze pijani, albo na ciężkim kacu, nie czuję się obco. Przed polskim kościołem stoi pomnik papieża. Wielki Polak ma twarz trolla i bardzo krótkie nogi. Na cokole znajduje się tablica informująca, że dzieło jest darem Polonii. Z proporcji wnioskuję, że nie uzbierali sumy wystarczającej na pełen odlew. Po mszy można sobie pójść na obiad. Przy kościele jest polska knajpa, są polskie sklepy, kioski z gazetami. Widziałem też biuro podróży, kancelarie prawnicze, doradztwa podatkowe, jest nawet praktyka lekarska. Lekarz nazywa się Olgierd Lubaszenko, neurolog.

2

Przeraźliwie szybko płynie czas. Właściwie niczego sensownego nie napisałem, a w kraju, w moim instytucie, czekają na pierwsze owoce... Nie mogłem pisać, bo ciągle miałem helikopter, który w ostatnich miesiącach zamienił się w bombowiec, a tydzień temu bombowiec zamienił się w statek kosmiczny. Do tego wszystkiego doszły jeszcze te skurcze łydek i drgania powieki. Lewej. Zapomniałem o przykazaniu rodziców i przestałem chodzić do kościoła. Już nie kupuję szamponików w sobotę. Teraz idę do Hoferka i pakuję wózek po brzegi. Mają tu świetne destylaty z owoców. Na przykład gruszkówkę. Albo malinówkę, truskawkówkę i śliwowicę. Wszystkie po sześć euro za pół litra, wszystkie czterdziestoprocentowe. Od kiedy piję destylaty, mniej sikam i szybciej mnie kopie, choć drgania powieki, lewej, bardzo się nasiliły. Miewam też koszmary. Sikam do zlewozmywaka, bo z pokoju bliżej mam do kuchni. Nie pamiętam, kiedy ostatni raz się kąpałem. Ubrania oszczędzam. Najczęściej latam po mieszkaniu nagi. Tak, latam, nie chodzę. Latam statkiem kosmicznym.

3

Umierałem. I nie mogłem umrzeć. Tak do końca, jak człowiek. Na śmierć umrzeć. Ktoś próbował mnie ratować. To, zdaje się, była kobieta. Trzymała w dłoni zapaloną świecę, ale po chwili rozpłynęła się w powietrzu jak dym z papierosa. Potem pożarła mnie ogromna jaskółka. Połknęła całego. Leciałem jakiś czas głową w dół i wylądowałem w rynsztoku. Ledwie się wygramoliłem z nieczystości, złapali mnie i zamknęli we wnętrzu werbla. Było w nim okienko. Wychyliłem się przez nie i wypadłem. Na trawniku dopadli mnie znowu i wetknęli w tyłek drewniany flet, a na plecach zawiesili złotą trąbę. Potem zamknęli w szafie. Tam też cierpiałem. I nie wiem, jaka moc nakręciła moją postać korbą od katarynki, a potem odblokowała korbę, tak że poleciałem w przestworza. Potem z wielką szybkością spadałem w dół i z równie wielkim hukiem wylądowałem na harfie. Struny pod wpływem uderzenia zaczęły grać melodię, a wokalista wyśpiewywać: „Ojciec go nie bił, nie bił, a bić powinien, la, la, la, ojciec go nie bił, ale pozwolił pić, pozwolił pić do krwi, la, la, la". Po skończeniu pierwszej piosenki zaczął na znajomą nutę: „Nie rzucim ziemi, skąd nasz ród, nie rzucim wódy, mowy. Polski my naród, polski zwał, królewski szczep bez głowy. Nie damy, by nas gnębił wróg, tak nam dopomóż Puk, tak nam dopomóż Puk". Puk, puk, ktoś zapukał. To właśnie był Puk przebity włócznią. Chciał mnie rozśmieszyć, ale został strącony i rozbił się o papier nutowy. Potem widziałem się na obręczy. Miałem nadzieję przeskoczyć do innego wymiaru. Wyglądało na to, że można było tylko do połowy. Czekałem, aż mnie zdejmą. Wreszcie zdjęli i ustawili w kolejce do statku kosmicznego. Stała ze mną postać o głowie ptaka, skrzydłach ćmy i jaszczurzym ogonie. Coś gadała. Nie rozumiałem jej. Doczekałem się i znalazłem w środku. Statek przypominał golonkę. Usiadłem przy stole z dwoma innymi. Przed nami stała butelka wina. Stara kobieta nie wiadomo skąd wytoczyła beczkę wódki. Chcieliśmy się napić, ale kieliszki nie miały den, a z beczki wyłaziły robaki. Chichot. Jakiś człowiek odwrócił się do nas i powiedział, że czeka już całą wieczność na wylot. Nie wiedziałem, co robić. Ogarnęła mnie panika. Ciemność... I znowu umarłem...

No tak... straszne, ale wie pan co? Tydzień temu był u mnie pewien mężczyzna. Wyglądał na czterdziestolatka. Jak się okazało, miał dziesięć lat mniej. Otóż ów człowiek utrzymywał, że ma kontakty z tamtym światem. Ja nie neguję tak zwanego tamtego świata, problem w tym, że przez te duchy odeszła od niego żona. No i zaczął pić. Taaak, przykra rzecz, bo w tej całej sprawie poszło nie o jakieś wariackie wizje, poszło o płeć duchów. Ten człowiek obudził się z nieznajomym facetem w jednym łóżku. Opowiadał, że obaj byli zaskoczeni i przerażeni. Drugi mężczyzna wyskoczył z łóżka i na kolanach zaczął nerwowo szukać czegoś pod szafką nocną. Następnie wstał i zapytał: „Gdzie jest łazienka?". Przestraszony właściciel mieszkania wskazał drżącą ręką drzwi. Widział, jak tamten z niedowierzaniem przypatruje się w lustrze swojemu odbiciu i przeciąga dłonią po policzku. Potem wrócił do sypialni i zapytał o brzytwę. Wie pan, brzytwa w naszych czasach?! Właściciel odparł, że ma tylko maszynkę. Nieznajomy poprosił o zademonstrowanie urządzenia. Spodobało się, więc po goleniu zaproponował laskę z połykiem. No wie pan, tu zaczyna się problem, bo tamten się zgodził. Koniecznie chciał wiedzieć, jak to jest z duchem. Pomyślał, że jeśli zrobi mu to ktoś z tamtego świata, nie będzie to odczytane jako zdrada. Ponoć było bosko. Mężczyzna podarował zjawie elektryczną maszynkę do golenia. Na koniec duch przeprosił za najście i za brzytwę, bo zorientował się, że wylądował w innej epoce. Zniknął, a jedynym śladem po jego odwiedzinach były krople nasienia pozostawione na podłodze w łazience. Jednak właściwa tragedia tego człowieka zaczęła się, kiedy poprosił żonę, aby go popieściła ustami. Wie pan, w żaden sposób nie mogła go zadowolić. Tamten okazał się mistrzem nie z tej ziemi. Po kilku nieudanych podejściach żona zaczęła coś podejrzewać.

To był z natury uczciwy człowiek. Opowiedział jej o całym zdarzeniu. I wie pan, dla niej w tym wszystkim najgorszą rzeczą było to, że ten duch był płci męskiej. Poczuła się potrójnie zdradzona. Tak mu powiedziała na odchodne. Pan wybaczy, bardzo odbiegłem od rzeczywistości, od nas, naszego spotkania. Za pomocą tego przykładu chciałem tylko uświadomić panu, że bywają gorsze przypadki i gorsze przyczyny alkoholizmu, ale rzeczywiście, można się wystraszyć pańskiej opowieści. Pan to jeszcze tak sugestywnie opowiedział, że nawet przypomniał mi się mój ostatni koszmar. Ja jednak widzę coś optymistycznego w uzależnieniu mężczyzn. No właśnie... Gdyby był pan kobietą... Z badań naukowych wynika, że nie tylko nadużywanie, lecz w ogóle używanie alkoholu przyśpiesza menopauzę, zwiększa ryzyko występowania raka sutka i trzonu macicy. Szyjki macicy też. Zdrowie mężczyzny to zupełnie co innego niż zdrowie kobiety. Zdrowie kobiety to kategoria osobliwa, ściśle związana z urodą. A uroda, jak wiadomo, to atrybut kobiecości. Więc króciutko: nie musi pan dbać o urodę, nie grozi panu przyśpieszona menopauza, rak sutka, trzonu macicy i szyjki też panu nie grozi. Mamy więc powód do radości. Wczoraj pewien pacjent cierpiący na nerwicę serca przyniósł mi drobny prezent. Proszę spojrzeć. Rezerwa. Dwudziestopięcioletnia whisky! To co? Z butelki czy wyjąć szklaneczki?

Nad pięknym modrym Dunajem

W knajpie przy Ferdinandstraße stał karzeł z mikrofonem w ręku. Śpiewał albańskie piosenki, ale kiedy zaczął gwizdać *Nad pięknym modrym Dunajem*, posypały się w jego stronę puste butelki. Jedna z nich trafiła go w głowę. Upadł zakrwawiony. Po chwili właściciel z dwoma innymi wynieśli go na zaplecze. Ludzie nagle ucichli. Enver zauważył Hadziego. Dosiadł się do niego i zamówił piwo. Nie zdążył zamoczyć ust w szklance, kiedy poczuł na swoich plecach łapę Gengisa. Był już bardzo pijany, bełkotał, że wyjeżdża za dwa dni, że nic tu po nim, że nie wierzy w pracę po Nowym Roku. Hadzi wyjął papierosa, zapytał Gengisa, czy ma ogień. Gengis wstał z krzesła i zaczął się macać, obmacywać centymetr po centymetrze swoje ciało, powoli i dokładnie, tak jak to robią z bandytami. To było najdłuższe obmacywanie w poszukiwaniu zapałek, jakiego Hadzi był w życiu świadkiem. Kieszeń po kieszeni, wszędzie się dotykał, jakby szukał małej szpileczki, a nie czegoś, co można z łatwością wyczuć. Jeszcze przez chwilę stał przed nimi. Na koniec położył dłonie na klatce piersiowej, przycisnął w okolicach sutków i ze zdziwieniem powiedział:

– Boże, jaki ja jestem chudy.

Do knajpy wchodzili następni. Pili piwo i zapominali, że od dawna nie udało im się zahaczyć w jakiejś robocie.

Dopiero w lutym coś się ruszyło. Rynek czarnej pracy jakby drgnął. Była jeszcze noc, kiedy pakowali się do starego punto. Jechali do portu nad Dunajem rozładować barkę. Hadzi włączył radio. Orkiestra symfoniczna grała *Nad pięknym modrym*. Zaczął gwizdać.

– Zamknij mordę – powiedział Enver. – Zamknij mordę, bo skończysz jak ten karzeł z knajpy, pamiętasz?

Wyłączył radio. Dojechali na nabrzeże. Podszedł do nich człowiek w wełnianej czapce, wsadził w usta skręta i zagadał po niemiecku.

– Dwóch i ja – odpowiedział Hadzi.

– Dobra, płacę po rozładunku, jak szybko zrobicie, tak szybko dostaniecie kasę, po dwieście na głowę – warknął człowiek w wełnianej czapce.

Weszli na barkę. Czarna czeluść. Wielu się kręciło, ale twarzy żadnego z nich nie było widać. Dopiero gdy przyszedł świt, kilku odzyskało nosy, usta, policzki. Tylko kilku. Większość nadal tkwiła w ciemnościach. Prawie sami czarni rozładowywali barkę. Przed południem praca zaczęła ich nużyć. Zbyt długo czekali na puste palety. Popychali się jak mali chłopcy, krzyczeli jeden do drugiego w dziwnym języku. Znowu słychać było „w górę" i znowu pusta paleta wróciła na dół. Hadzi nie wytrzymał. Podbiegł nakopać jednemu czarnemu do tyłka, ale wywrócił się. Leżał i patrzył, jakby na coś czekał. I to coś przybyło. Spadło z nieba z wielkim impetem. Huk, głuchy huk, i już go nie było widać. Spod ładunku wypłynęły strużki krwi. Cisza. Wszyscy zastygli w bezruchu. Ktoś zwymiotował. Ktoś inny pośpiesznie wyjął papierosa. Ta cisza trwała wieczność. Nikt nie chciał wejść w bordową kałużę. Głowa Hadziego przypominała piłkę do nogi, po której przejechała ciężarówka. Oczy wyparowały, a zęby wprasowały się w szyję.

– Przeklęta melodia – mruknął Enver do Gengisa przez zaciśnięte gardło, zakrywając trupa swoją kurtką.

Woefelsgrund

1

– Widziałem pańskie podchody w garbusie – powiedział Heinz. – Od lat się pan czai. Trzeba to wreszcie zrobić. Może ten człowiek, który każdego ranka wsiada do czarnego audi, to nie pan, może prawdziwy człowiek to ten, który siedział w garbusie i straszył przechodniów zwykłymi papierosami?

– No wie pan? – zdenerwował się tamten. – Wypraszam sobie, pan niczego o mnie nie wie. Wypraszam sobie – powtórzył jeszcze raz, z naciskiem.

– Nie to nie – odparł Heinz. – Jakby co, to wie pan, gdzie mieszkam. Mam dobry towar. Chętnie zapalę w pańskim garbusie – dodał. – Kłaniam się.

Wrócił do domu i spojrzał w lustro. Postanowił, że rano się nie ogoli.

Po miesiącu, kiedy urosła mu broda, zrozumiał, że ta prawdziwa jest dużo lepsza od doklejanej, i zdecydował się zapukać do drzwi sąsiada. Poszli do garbusa i skręcili po prawdziwym. Heinz dowiedział się, że sąsiad ma na imię Heinz i że są z tego samego rocznika. Samochody, które przejeżdżały obok, zamieniały się w rumaki i przeskakiwały z jednego pasa ulicy na drugi. Sztywne do tej pory kominy zaczynały flaczeć. Kiedy ponownie zesztywniały, a rącze auta wróciły na swoje pasy, wyszli z garbusa i otworzyli drzwi kamienicy.

Heinz-Heinz wyjął zza kosza na makulaturę ogromną siekierę. Ostrze błyszczało złowieszczo i Heinz-Sąsiad zaczął przeraźliwie krzyczeć:

– Nie zabijaj mnie! Nie zabijaj mnie, proszę! Jeszcze jestem młody, chcę żyć! Chcę patrzeć, jak Vera puszcza kółka! Oszczędź! Błagam!

Heinz-Heinz przykrył mu usta otwartą dłonią i patrząc prosto w oczy, szepnął:

– Pssst, cicho, bo wszystkich obudzisz. Uspokój się, nie zabiję cię, zaprowadzę cię tylko do mieszkania. Jesteś bezpieczny.

Ale Heinz-Sąsiad nie wierzył. Posiniały mu usta, a serce zaczęło uderzać tak szybko, że miał wrażenie, iż za chwilę rozsadzi mu klatkę piersiową, dostanie nóg i ucieknie do wsi Woefelsgrund, o której ostatnio czytał w gazecie. Bardzo chciał tam kiedyś pojechać, lecz kiedy się zorientował, że koniec się zbliża, bo Heinz-Heinz nie ma zamiaru odłożyć siekiery, zaczął szlochać. Tamten poczuł wilgoć na dłoni, uwolnił jego usta i odłożył siekierę. Kiedy to zrobił, Heinz-Sąsiad zaczął się bić po głowie i jeszcze głośniej krzyczeć:

– Mam robaki w uchu! Wchodzą mi jednym, a wychodzą drugim! Zrób coś! Ja umieram! Umieram!

Bił się po głowie i jednocześnie nią potrząsał, aż opadł z sił i usiadł na schodach.

– Zanim odbierzesz mi życie, obiecaj, że pojedziemy razem do Woefelsgrundu. Błagam, obiecaj.

Heinz-Heinz rozejrzał się, usiadł i poklepał sąsiada po plecach.

– Dobrze, obiecuję, pojedziemy razem do Woefelsgrundu. A teraz wstawaj, musimy wracać do siebie.

Heinz-Sąsiad wszedł do swojego mieszkania. Runął na łóżko. Resztką sił wyjął spod poduszki album i po przewróceniu kilku stron zatrzymał wzrok na fotografii wysokiego, szczupłego mężczyzny w mundurze wermachtu, pozującego na tle wieży Eiffla. Zaczął mamrotać pod nosem:

– Spiderman to człowiek pająk, a Superman to nadczłowiek, to kim, u licha, jest Carmen? Spiderman... O Boże! – krzyknął, bo zobaczył na suficie pająka. Pająk po chwili spadł mu na głowę i zacisnął nogi na jego gardle. Zrobił to tak sprawnie i szybko, że Heinz-Sąsiad nawet nie poczuł, kiedy wyzionął ducha.

Tej samej nocy Heinz-Heinz, pożerając czterystugramową tabliczkę milki, oglądał setny raz wyjęte z portfela czarno-białe zdjęcie młodego, szczupłego żołnierza w mundurze wermachtu.

Żółty garbus mknął w kierunku Woefelsgrundu, małej wioski oddalonej od Wiednia o dwie godziny drogi. Właściciel pensjonatu, w którym się zatrzymali, był
niski, gruby, łysy, bardzo ruchliwy i miał krótkie rączki. Ucieszył się, bo goście poza sezonem to rzadkość.
Od razu zaproponował wycieczkę swoim land roverem
na pobliski szczyt, na którym stało schronisko. W pen-
sjonacie byli tylko oni, żona właściciela i ich pięcioletni
syn. Późne dziecko, bo oboje wyglądali na ludzi pod
pięćdziesiątkę.

Kiedy jedli kolację, właściciel dosiadł się, wyraźnie
spragniony towarzystwa.

– Aaaa, panowie to z Wiednia. Wiedeń to Wiedeń,
tam się żyje, nie?! Aaaa, panowie to co tak po sezonie?
Ani narty, ani nic teraz.

– Myśmy właściwie ot tak sobie, na pstrąga przyjechali.

– Aaaa, tego w igliwiu, nie?! Oj, dobra to rybka,
zacna. Gustav, ten z dołu, o tam, jak zejdziecie na
dół, to w lewo przy potoku, ten to najlepiej je przy-
rządza, ale to jutro. Najlepiej w niedzielę iść, bo
dziś sobota, a w sobotę to on sprzedaje te złowio-
ne w czwartek, a najlepszy pstrąg świeży, niedzielny,
taki prosto z potoku. Aaaa, panowie to u nas pierwszy raz? Tutaj pięknie, tylko nudno, Wiedeń to co
innego.

Gospodarz nagle obejrzał się w stronę baru, za którym jeszcze przed chwilą stała żona, i ściszonym głosem zapytał:

– Panowie, a jak tam burdele w Wiedniu? Fajne dziwki są? – Heinzowie zgodnie pokiwali głowami. – Bo wiecie, panowie, ja tu już nie mogę. No, nie mogę i już. A te fajne dziwki pałę robią? No, panowie, robią pałę? – Znowu zgodnie pokiwali głowami. – No właśnie, panowie, moja stara nie robi pały, nigdy nie chciała. Mam jej dość. – Przerwał, bo za barem pojawiła się żona. – Mmmh. – Mówił teraz wyraźnie, powoli i głośno: – No to co, panowie, pojedziemy sobie wieczorem na szczyt. Tu jest pięknie, tu jest wolność i tu jest szczęście, miłość. – Po tym ostatnim słowie żona znowu zniknęła. Właściciel ściszył głos. – Tak, panowie, tu jest strasznie. Jak są turyści, to jeszcze ujdzie, ale po sezonie to śmierć, kompletna śmierć... A ja, panowie, mam już czterdzieści pięć lat i czegoś jeszcze chcę od życia. O, na przykład mój kumpel, gość ma teraz pięćdziesiątkę, pewnego dnia wszystko rzucił, a miał dobrze prosperującą firmę budowlaną, czterdziestu ludzi zatrudniał. Ale rzucił wszystko, dokładnie wszystko. Żonę, syna. Draniem nie był, prawie wszystko im zostawił. Ja, jak mi się uda, to też jej wszystko zostawię. No, to ten mój kumpel wszystko zostawił i tylko sobie w banku wymienił szylingi na dolary, ale niedużo, tylko dziesięć tysięcy dolarów sobie wymienił, i wyjechał. Gdzie wyjechał? Do Kostaryki sobie wyjechał. I tam, w tej

Kostaryce, poznał taką małą czarną. O, taką, pod pachę mu wchodzi. Dwadzieścia osiem lat młodsza i robi pałę. Panowie, robi mu pałę bez pytania. Wprost kocha robienie pały. Kiedyś mi o tym pisał. I ten kolega mi pisał, żebym też wszystko rzucił i przyjechał do niego, to sobie taką małą czarną złapię, co mi pałę będzie robić. I wiecie panowie, ten mój kumpel za te dolary kupił sobie stare land rovery i po puszczy wozi bogatych Amerykanów, jaguary im pokazuje i inne małpy, i na życie mu starcza. Bo, panowie, kasa to nie wszystko. Jeszcze trzeba żyć. A ja coś od tego życia jeszcze chcę. To co, panowie, pojedziemy sobie na szczyt, a potem zjedziemy do wsi na tańce.

Wsiedli do land rovera i ruszyli w dół, do wsi. Właściciel wskazał ręką knajpę Gustava. Kiedy przejechali przez centrum, skierowali się drogą brukowaną kocimi łbami w górę. Znowu uniósł rękę i pokazał rozległą drewnianą chatę.

– O, tu, panowie, zabawimy się wieczorem, jak zjedziemy ze szczytu. Fajnie grają i fajna kelnera obsługuje. Czarnula, ale ma męża, syn właściciela, kompletny idiota, tak samo jak jego ojciec. Gdybym ja miał taką budę, w takim miejscu, toby to wszystko lepiej działało. Aż dziw bierze, że taka fajna czarnula siedzi z takim kołkiem, ale może mu pały nie robi...

Zamyślił się. Jechali w górę bardzo ostrożnie i powoli, bo skończyły się kocie łby i zaczęła górska stroma droga.

– Mój kumpel jest właścicielem tego schroniska, ma na imię Heinz, Heinz Pierwszy.

– My też mamy na imię Heinz – odrzekli zgodnie.

– No to fajnie, to może przejdziemy na ty. Mam na imię Christian.

– Okej. Heinz. Heinz.

– No, Heinz to bardzo popularne imię tutaj we wsi. Zresztą w Wiedniu pewnie też. Nie?! Ten Gustav, co ma tę knajpę, to ją odkupił kiedyś od Heinza Drugiego, brata tego Heinza, do którego jedziemy, ich jest kilku, chyba z pięciu. Mieli takiego popapranego ojca, zresztą leży tu u nas na cmentarzu, na górce. Każdego ochrzcił Heinz, no i proboszcz mu powiedział, że musi ich ponumerować, i tak się przyjęło. O, już sosny trzy duże widać, to już prawie, prawie. Ten Heinz Pierwszy to nie będzie mógł dziś wieczorem być na tańcach, bo ma to schronisko, ale pewnie kilku innych przyjdzie, oni, ci bracia, to się nie bardzo lubią, ale jak są tańce, to przyłażą.

A w schronisku Heinz Pierwszy postawił litr śliwowicy, a potem pół litra morelówki, a na sam odjazd wypili jeszcze po kilka kieliszków gruszkówki i zjeżdżali w dół kompletnie pijani.

– Ja to, panowie, zawsze pijany jeżdżę – mówił właściciel pensjonatu. – Czasami jestem tak pijany, że nie mogę chodzić, wtedy jeszcze bardziej ciągnie mnie za kółko, bo wiadomo, łatwiej jeździć niż chodzić, nie?! Bo ja, panowie, nieszczęśliwy jestem i tak sobie myślę, że jak się zabiję w tych górach, to nikomu krzywdy nie zrobię. Tylko sobie zrobię.

– A syn? – zapytał Heinz-Heinz.

– A co tam syn. Lepiej niech nie patrzy na takiego ojca. Lepiej nie. No i jak tak jeżdżę pijany po tych górach, to czuję się bezpieczny, bo policji we wsi nie ma, i kto by tam po lesie jeździł. A w Wiedniu to pewnie dużo policji? No, bo tym się różni prowincja od stolicy. My tu mamy przerąbane na swój sposób, ale wy też. Kto wie, może nawet jeszcze bardziej. Ale macie te burdele i te dziwki, co wam pałę robią... O, udało się, znowu się udało. Dojeżdżamy do wsi.

Zaparkowali i weszli do knajpy.

– Czarnula, a nie mówiłem! Fajna, nie?! Jeszcze lepszą będę miał w Kostaryce. Mówię wam. To co? Przysiądziemy się do tych Heinzów? Ten z brodą jest drwalem. A ten, który siedzi naprzeciw, to jego brat, też drwal. A ta, która siedzi obok niego, to żona tego pierwszego, tylko że ten drugi ją obraca. Tak mówią. Zresztą to rodzina, a w rodzinie sprawy się załatwia po swojemu. To co, siadamy, nie?!

Na scenę wszedł człowiek z długą, siwą brodą, w okularach z przyciemnianymi szkłami. Pstryknął w główkę mikrofonu. W pomieszczeniu zapanowała cisza. Siwy odchrząknął.

– Kochani. Jak wszystkim wiadomo, miesiąc temu gajowy Lauda zastrzelił przez pomyłkę mojego najukochańszego, najwspanialszego, najmądrzejszego i najprzystojniejszego przyjaciela, wyżła pełnej krwi, Egona. Miał pięć lat i był w najlepszej formie. Mógł jeszcze pociągnąć z dziesięć, ale ten kretyn ponoć pomylił go z lisem. Gdyby nie to, że ma urzędowo odnotowaną wadę wzroku, gdyby nie to, że ten sadysta nie odróżnia kolorów, jak Bóg jasny na niebie z mojej ręki podzieliłby los Egona. Do tej pory, kochani, nie mieliśmy okazji, żeby zebrać się wspólnie i oddać hołd najlepszemu psu w okolicy. Mojemu psu. Ale dzisiaj widzę, że jest nas wielu i że przyszliście, za co składam wam szczere Bóg zapłać! Panie Blacha, kolejka dla wszystkich na mój rachunek!

W sali rozległy się brawa. Pan Blacha z kelnerką czarnulą zaczęli roznosić kufle piwa, a drwal, kiedy oklaski całkiem ucichły, ciągnął:

– Z tej właśnie okazji i dla uczczenia pamięci Egona, pozwolicie, że zagram wam na basie requiem, które sam skomponowałem.

W sali nastała jeszcze większa cisza niż przedtem. Zebrani śledzili wzrokiem drwala, który wyjmował zza kurtyny brązowy kontrabas i zaczynał go stroić, ciągnąc długim i grubym smykiem po strunach i podkręcając kołki. Kiedy nastroił, podszedł z instrumentem do mikrofonu i powiedział:

– Panie Blacha, jeszcze jedna kolejka dla wszystkich.

Ale nikt już nie śmiał klaskać, bo siwy człowiek w ciemnych okularach zaczął grać i rzewnie śpiewać do mikrofonu operowym głosem:

– Pięć latek ci było, przyjacielu miły, a teraz cię nie ma, kości twoje zgniły.

I tak w kółko, chyba z dziesięć razy. Aż na scenę wskoczył facet. Zdjął koszulkę i pokazał swoją bardzo owłosioną klatkę piersiową. Wyrwał mikrofon ze stojaka i krzyknął:

– W Woefelsgrundzie są najlepsze grzyby w Europie! Jeśli ktoś chce skosztować, to mam pełno! Czekam na zewnątrz!

3

Kiedy usiedli do śniadania, przyszedł Christian.

– Mówiłem, że tutaj ludziom odbija. Ale sobie wczoraj popaliliście. Ja tam tego nie ruszam. Alkohol to pewna rzecz. A wy co? Poleźliście z tym wariatem, a potem w górę, nad cmentarz. Wyrwaliście krzyż z grobu starego Heinza i z tym krzyżem łaziliście po wsi, aż chłopaki was zobaczyli i do nas odwieźli. Spokojnie – rzucił, widząc, że goście momentalnie pobledli. – Tutaj się różne rzeczy dzieją. Oni się na was nie gniewają, najważniejsze, że krzyż wrócił na swoje miejsce. Ludzie byli wkurwieni na tego od basu, bo nie przestawał o tym psie, ale ciągle stawiał, więc nie wychodzili.

Po południu poszli do Gustava na pstrągi. Na ścianach knajpy wisiały oprawione w ramki czarno-białe fotografie. Zaczęli się im bliżej przyglądać. Na jednej z nich widać było chłopców ze złożonymi nartami. Na następnej przedwojenną panoramę Woefelsgrundu. Potem były trzy, wyżej od pozostałych, ale w tej samej linii. Na pierwszej piękna kobieta w nausznikach siedziała okrakiem na sankach, śmiejąc się w stronę stoku. Na drugiej uwieczniono pięciu chłopców z łyżwami przewieszonymi przez ramię. Na ostatniej sfotografowano psa. A poniżej tych trzech wisiały dwa zdjęcia tego samego mężczyzny. Młodego, wysokiego i szczupłego. Na obu był w mundurze wermachtu. Ale tylko na jednej stał pod wieżą Eiffla.

Dzisiaj pękło niebo

Martin był jak strzała, jak błyskawica, jak światłość, jak anioł zesłany, bo miał rower, co nic nie ważył. Ten rower skonstruowany był z jakichś przedziwnych materiałów, z których buduje się statki kosmiczne.

Mieszkał Martin w drugiej dzielnicy, obok kanału. Wynajmował duży pokój. Choć stać go było na mieszkanie, wolał dzielić łazienkę i ubikację z innymi. Ot tak, z przyzwyczajenia, bo ciągle czuł się studentem, choć już dawno skończył rzeźbę w Akademii Sztuk Stosowanych imienia Oskara Kokoschki. Dwaj pozostali lokatorzy pochodzili z Bawarii. Ci żyli z seryjnego wyrobu drewnianych figurek malowanych na pstre kolory. Rzeźbili je w mieszkaniu, no i przy tym dużo palili. Hodowali trawę, wszystkie pokoje udekorowane były doniczkami, z których wyrastały roślinki szczęścia. W pewnym momencie mieli takie zapasy, że nie byli w stanie ich przerobić, zaczęli więc sprzedawać i dorabiać, bo z figurkami się urwało. A Martin nadal uprawiał kult błyskawicy z czerwoną ramą, która wisiała na haku nad jego posłaniem niczym święty obraz. Patrzył na swego rumaka i obmyślał nowe trasy. Tym rozmyślaniom przeszkadzała sąsiadka z naprzeciwka. Robiła striptiz każdego dnia koło dziewiętnastej, a gdy przyszło lato, opalała się naga na balkonie, wypinając tyłek w stronę okien jego pokoju. Wtedy ściągał rower ze ściany i ruszał w drogę. Żeby zabić w sobie żądze, potrafił pedałować po pięćdziesiąt kilometrów w jedną stronę. Miał nie tylko kosmiczny rower, ale i równie kosmiczne ubranie. Srebrne spodenki, dokładnie przylegające, stwarzały wrażenie drugiej skóry. Koszulka, też przylegająca i srebrna, ukrywała na plecach dwie kieszonki, do których wkładał małą puszkę red bulla i dropsy z cukru winogronowego. Buty z dwoma otworkami w podeszwach idealnie nakładały się na wystające ząbki pedałów. Rękawiczki zapinane na rzepy doskonale czuły kierownicę. A kask to był istny cud techniki. Martin wyglądał w nim jak postać z *Gwiezdnych wojen*, jak rycerz z kosmosu, bo kask też był srebrny i tak wyprofilowany, tak aerodynamiczny, że wszyscy się oglądali, kiedy stawał na czerwonym świetle.

Utrzymywał się Martin z konserwacji zabytków, a konkretnie z konserwacji rzeźb. Kilka razy w roku otrzymywał zlecenia od pewnej firmy renowacyjnej. Cały Wiedeń to jedno wielkie muzeum, mógł więc przebierać w ofertach; brał tylko najwyżej płatne prace.

Któregoś dnia przyjął zlecenie z czternastej dzielnicy. W znajdującym się tam domu wariatów kilka rzeźb na wysokości potrzebowało odnowienia. Dom usytuowany był w dużym parku i pacjenci mieli wrażenie, że nie są zamknięci, lecz przebywają na wolności. Martin wspiął się na rusztowania i przyjrzał uszkodzonym figurom. Miały poobtłukiwane nosy i palce. Kiedy wystawiano mu kartę identyfikacyjną, dowiedział się, że jeden z podopiecznych wyszedł przez okno z korytarza i po szerokim gzymsie dotarł do kamiennych postaci. Przypominały mu matkę, której nienawidził i która rzekomo doprowadziła go do obłędu. Dlatego obił im palce i pomalował sprejami.

Tuż obok wejścia na teren domu wariatów był sklep spożywczy Billa, a przed nim stała ławeczka. Na niej Martin się przebierał. Nie chciał wchodzić na teren zakładu w rowerowym ubraniu, ponieważ obawiał się, że któryś z pacjentów mógłby się na niego rzucić. Rower zapinał na tyłach sklepu. Gdy zegar na pobliskiej wieży kościelnej wybijał dwunastą, złazil z rusztowań i szedł do Billi po kanapki oraz mrożoną kawę.

Tamtego popołudnia strasznie lało. Mimo deszczu sąsiadka z naprzeciwka znowu zrobiła striptiz. Tym razem Martin nie myślał o żadnych kilometrach. Na białym kartonie napisał czarnym flamastrem duży i wyraźny numer swojej komórki. Wystawił go przez okno. Zadzwoniła po chwili:

– Halo, tu Martin.

– Halo – powiedziała sąsiadka. – Przycisk numer cztery, drugie piętro. Drzwi po lewej stronie.

Jechał do pracy lekki i szczęśliwy. To rower tego dnia pedałował za niego. A kiedy zapiął rumaka przy Billi i pięknie pozdrowił kierownika, przebrał się i wskoczył na rusztowania, wyjął komórkę i zadzwonił do pracodawcy; połowa pracy została już wykonana i należała się zaliczka. Kierownikiem firmy był jego kolega ze studiów, a ponieważ cierpiał na nieustanną depresję, biznesem faktycznie kierowała jego siedemdziesięcioletnia matka. I to właśnie ona odebrała telefon. Przeprosiła za zwłokę i obiecała wpłatę.

Kiedy skończył trzy czwarte zamówienia, a pieniędzy wciąż nie było, zaczął się bardzo niepokoić. Telefon milczał. Pojechał więc do firmy. Stał pod drzwiami cztery godziny, aż w południe pojawił się właściciel.

– Słuchaj, ja już prawie kończę, a pieniędzy na koncie nie widać. Co się dzieje? – zapytał.

– Martin, kiedyś myślałem, że mam depresję sukcesu. Czego się tylko tknąłem, wszystko wychodziło, zresztą znasz sprawę. Opowiadałem ci o tej jednostce chorobowej. Jednak zawsze zazdrościłem ci rowerowego świra, nawet tego, że choć masz kasę i mógłbyś się inaczej ustawić, kupić własne mieszkanie, nadal dzielisz to wynajęte z tymi narkomanami. – Dokończył papierosa, otworzył okno, wyrzucił niedopałek. – A kilka dni temu dowiedziałem się, że ta cała moja depresja sukcesu została mylnie zdiagnozowana, dlatego pozwałem do sądu mojego psychiatrę. Słyszałeś o goryczy słodkiego życia? Ano, przyjacielu, cukrzyk żyje ze świadomością, że jego leczenie w ogromnym stopniu zależy od niego samego. Świetny lekarz, dostęp do najlepszych leków nie pomogą, jeśli sam nie będzie się kontrolował. Dlatego cukrzyca jest chorobą bardzo obciążającą psychicznie pacjenta. U takich jak ja depresja występuje trzy razy częściej niż u innych chorych. Tak, przyjacielu, mam od wielu lat cukrzycę, to żadna depresja sukcesu. Wygram proces i doprowadzę go do ruiny. – Wstał i wyciągnął rękę na pożegnanie. – Dzięki, że wpadłeś, stary, dobrze cię było znowu widzieć, jak będziesz miał czas, to wpadaj częściej.

– A moje pieniądze? – zapytał Martin.

– Ach, tak. Nie martw się, pod koniec tygodnia będą w banku.

Praca dobiegała końca, a konto nadal świeciło pustkami. Coraz bardziej zdenerwowany Martin jeździł na swoim kosmicznym rumaku i coraz bardziej nerwowo uprawiał seks, aż pewnego dnia po tym, jak znowu miał przedwczesny wytrysk, powiedział sobie, że już dość, nie będzie pracował za darmo, nie da się oszukiwać temu, który teraz zaczął udawać cukrzyka, i nie zjadłszy śniadania, nie wypiwszy kawy i nie pocałowawszy sąsiadki na odjezdne, ubrał się w srebrne spodenki, srebrną koszulkę, rękawiczki, buty i założył aerodynamiczny plecaczek. Wsiadł na rower i pognał do pracy. Obiecał sobie, że jeżeli dzisiaj rzekomy cukrzyk albo jego matka nie przywiozą mu gotówki, to zniszczy wszystko, co naprawił. Obtłucze nosy i palce, a na koniec okrasi rzeźby sprejami. I jechał Martin z takim zamiarem, i złość się w nim kłębiła, i chmury nad głową też. Miał wrażenie, że dzisiaj pęknie niebo. I głód ogromny wzbierał w Martinie, bo zapomniał zjeść śniadanie. Kiedy więc dojechał na miejsce, zszedł z roweru, zdjął rękawiczki, zawiesił je na rączkach kierownicy i wbiegł do Billi; chwycił kanapkę z jajkiem oraz mrożoną kawę i już po chwili był przy swoim rowerze. Chciał pojechać ulicę dalej, kupić kolorowe spreje, lecz nagle zamarł w bezruchu.

– Mój kask – wyszeptał nerwowo. W straszliwej złości wsiadł na rower, zostawiając kanapkę i kawę na ławce. Sunął ścieżką rowerową najszybciej, jak potrafił, bo wiedział, że liczą się sekundy. Miał nieodparte przeświadczenie, że dogoni złodzieja. Jak robot z gier komputerowych za pomocą specjalnych urządzonek identyfikował kaski przejeżdżających, ale czerwona lampka umieszczona w jego głowie cały czas pikała na nie. Kiedy już zaczął tracić nadzieję, lampka rozbłysła na zielono. Dogonił człowieka w srebrnym kasku. Zajechał mu drogę, z głowy zdarł przyłbicę, a na koniec jeszcze poczęstował kopniakiem. Tamten, przerażony, uciekł bez słowa. Dumny z siebie Martin założył kask i odjechał.

Z tego wszystkiego zapomniał się przebrać. Wszedł na rusztowanie i wyjął z kieszeni komórkę. Odebrała matka farbowanego cukrzyka.

– Jeśli nie przywiezie mi pani za chwilę gotówki, to jak Boga kocham, pourywam wszystkie nosy rzeźbom, obtłukę paluchy i zamaluję sprejami!!! Rozumie pani? Ja nie żartuję. Czekam pół godziny i zaczynam rozwalać!!!

Kiedy tak krzyczał w swoim rowerowym ubranku i kasku na głowie, z okien budynku wychyliły się dwie głowy, po czym szybko znikły. Potem znowu się pojawiły, kiedy zaczął ciągnąć jedną z figur za nos, nie przestając się wydzierać:

– Jak nie przywiezie kasy, to ci ten kinol oberwę!!! Rozumiesz, suko kamienna?! Oberwę, a potem zetrę w pył!!!

I tak wykrzykiwał, aż usłyszał:

– Martin, Martin, przywiozłam ci pieniądze, nie ruszaj się, wejdę do ciebie na górę.

To była matka cukrzyka, dziarska pani po siedemdziesiątce, w chustce na głowie. Gdy wdrapała się po rusztowaniach i wyjęła z torebki pękatą kopertę, oboje usłyszeli głos z dołu:

– Nic wam nie grozi! Tylko spokojnie! Nic wam nie grozi! Usiądźcie na deskach i nie wykonujcie nagłych ruchów! Jesteście bezpieczni. Za chwilę otrzymacie pomoc! Nie ruszajcie się z miejsca.

Usiedli na deskach rusztowania, pewni, że się pali i szpital zarządził ewakuację. Po chwili stało przy nich dwóch mężczyzn; Martin rozpoznał twarze, które wychylały się przez okno.

– Jak się siedzi na rusztowaniach? Fajnie, nie? Z którego oddziału zrobiliśmy sobie wycieczkę podniebną? – zapytał wyższy.

– Panowie, spokojnie, to jakaś kosmiczna pomyłka – powiedział Martin. – Ja jestem konserwatorem zabytków, a to jest moja szefowa, przywiozła mi właśnie zaległą wypłatę. Panowie, dajcie spokój, nie mam dziś ochoty na głupie zabawy.

– Tak, tak – powiedział niższy. – Kosmos, wypłata, pomyłka. My to wszystko rozumiemy. A pan to nawet jest odpowiednio ubrany do lotu na Marsa – dodał i uśmiechnął się pod nosem. – Jednak zanim gdzieś wylecicie, bardzo was prosimy o zejście do bazy głównej.

– Nigdzie z wami nie pójdę i pani też zakazuję – powiedział Martin. – To mistyfikacja, to są pacjenci, udają pielęgniarzy. Nie dajmy się zwariować.

Ten dobrze umięśniony i wysoki spojrzał na nich w taki sposób, że bez słowa zaczęli schodzić. Kiedy byli na dole, Martin przypomniał sobie, że w kieszonce koszulki ma kartę identyfikacyjną, której nigdy nie używał. Wyjął ją. Tamci pobledli, przeprosili i momentalnie znikli. I w tym momencie rzeczywiście pękło niebo, zaczęło grzmieć, błyskać, a potem lać. Szefowa zaproponowała miejsce w swoim samochodzie, Martin jednak podziękował i wsiadł na rower.

Kompletnie przemoczony zapukał do drzwi sąsiadki. Kiedy zdejmował z głowy kask, cicho zapytała, dlaczego kupił sobie nowy. Nie zrozumiał pytania. Wtedy wskazała mu dłonią ten pierwszy, leżący na krześle w przedpokoju.

Amen

1

Było południe. W gabinecie zebrań nadwoźny włączył radio. Pokręcił gałką i odnalazł radiostację z południowego kraju związkowego. Do gabinetu weszła nadpołożna z papierową torebką w dłoni. Usiadła przy stole i wyjęła z torebki półlitrową butelkę wody mineralnej oraz bułkę z tuńczykiem. Po chwili dołączyły do niej dwie nadpielęgniarki. Spiker dokończył prognozę pogody. W drzwiach stanęła ta najważniejsza: primaria uniwersytecko dyplomowana profesorka, doktorka, nadlekarka, pani Anna Maria Prochaska-Placek. Pozdrowiła wszystkich chrześcijańskim „Szczęść Boże" i usiadła najbliżej radioodbiornika. Głos spikera z dumą zapowiedział:

„Drodzy rodacy! Za chwilę usłyszymy przemówienie naszego Lidera. Życzę przyjemnego odbioru".

Jedna z nadpielęgniarek zaczęła nerwowo odpakowywać zawiniętą w biały papier śniadaniowy bagietkę. I kiedy primaria uniwersytecko dyplomowana profesorka, doktorka, nadlekarka, pani Anna Maria Prochaska-Placek usłyszała szelest, momentalnie zmierzyła ją wzrokiem w taki sposób, że tamta zamarła w bezruchu. Z głośnika zaczął dobiegać dziarski, pewny i supermęski głos:

„Nasz kraj, nasza umiłowana ojczyzna, nasze gniazdo, kolebka i wielowiekowa duma, wchodzi w niebezpieczny zakręt. Córki Austrii, synowie Austrii, dlaczego gnuśność was dopadła? Dlaczego boicie się siać? Dlaczego nie decydujecie się na potomstwo? Dlaczego zabijacie ten kraj? Dlaczego pozwalacie zabijać go innym, obcym?!".

Lider zrobił krótką pauzę. Primaria poderwała się z krzesła i zaczęła bić brawo, po niej zrobiły to samo nadpołożna oraz nadpielęgniarki.

– Psss, psss! – syknął nadwoźny.

Kobiety usiadły i zaczęły wpatrywać się w skrzynkę radioodbiornika jak w Najświętszy Sakrament.

„Ta ziemia, nasza ziemia, to ziemia twoja i moja! Nie ziemia niczyja, a tym bardziej ich ziemia!".

Tym razem gromkie brawa rozległy się w sali, w której przemawiał Lider.

„*Danke, danke!*" – Jeszcze raz i mocno powtórzył słowo *danke!*

Ucichli.

„Ta ziemia, która cię wykarmiła, która dawała ci ukojenie i plany na przyszłość, przez bezmyślną politykę lewackich i prounijnych kretynów zaczyna krwawić! Krwawić krwią naszą! Prawowitych synów i córek tego kraju! Ta krew wsiąka, i jak Bóg jasny na niebie, wierzę, że wsiąka nie na marne! Ta krew da życie kwiatom! Białym kwiatom, a nie kolorowym chwastom!".

I znowu gromkie brawa rozległy się w gabinecie i w radioodbiorniku. Lider ponownie nie mógł dojść do głosu. Kilkakrotnie powtarzał *danke*, aż wszyscy ucichli.

„Narodzie wielki, narodzie, któryś przez wieki karczował lasy i osuszał bagna prymitywnego żywiołu! Obudź się, oszczędzaj krew i łzy! Stań ponownie na wysokości zadania i daj nam dzieci! Daj nam nasze dzieci! Przyszłość tego kraju nie jest czarna. Przyszłość tego kraju jest jasna, biała!" – Lider już nie dziękował, nie przemawiał pewnym, supermęskim głosem. Lider krzyczał: „Narodzie, ocknij się!!! Jest jeszcze czas!!! Użyjmy wszelkich możliwych środków, aby nie tylko teraźniejszość i przyszłość były nasze, ale i wieczność!!!!!".

2

Primaria uniwersytecko dyplomowana profesorka, doktorka, nadlekarka Anna Maria Prochaska-Placek dobrze

wiedziała i czuła, o czym mówił Lider. Czasami łzę uroniła, patrząc, jak te kobiety w ścierkach na głowach
z orlimi nosami okupują, wraz z dziećmi o prostackich
rysach, czyste i zbudowane z myślą o innych dzieciach
place zabaw. Ciarki ją przechodziły, kiedy jadąc w piąt-
kowe popołudnie na rowerze przez wyspę na Duna-
ju, słyszała ujadający głos muezina. Te wszystkie kioski
oferujące bułkę ze śmierdzącym mięsem niewiadome-
go pochodzenia wywoływały u primarii ciężką migre-
nę, ale najgorsze było to, że w szpitalu, którego była
szefową, już od dawna nie urodził się żaden Austriak,
za to bez przerwy rodziło się co innego. I to każdego
dnia... Mierziło ją również to, że położne w większoś-
ci nie były Austriaczkami. Ale tłumaczyła sobie, że zawsze głupia Ukrainka czy Serbka są lepsze, ba! nawet
poenerdowskie ścierwo jest lepsze od tego spod zna-
ku półksiężyca. Do personelu zagranicznego odnosiła
się z wielką rezerwą i właśnie z tego powodu przerwę
na lunch dzieliła w gabinecie zebrań tylko z rodakami.
Razili ją wąsaci mężczyźni w cuchnących potem ko-
szulach o niemodnym kroju, przynoszący swoim żo-
nom śmierdzący rosół. Na wymioty jej się zbierało, bo
oddział noworodków przesiąkł całkowicie ich potem
i tym ohydnym rosołem. Ale nie tylko obecność Turków
i ich nieustanny przyrost naturalny obrażały primarię
Annę Marię. Na każdym kroku widziała złodziejstwo
i nieuczciwość. I te wykroczenia były najczęściej po-
pełniane przez zagranicznych. A ostatnio dobił ją ten

mały Hindus od gazet. Primaria mieszkała w luksusowym mieszkaniu blisko Mariahilfestrasse. Pijąc kawę w piątkowy wieczór, widziała przez okna swojej kuchni, jak Hindus zawiesza na słupie torbę z gazetami weekendowymi, a nad nią skarbonkę. Uczciwy obywatel wyciągał z torby gazetę i wrzucał należność za pismo do skarbonki. Ale ten oliwkowy dupek nie dawał szansy uczciwemu obywatelowi, bo w sobotę rano, gdy primaria parzyła sobie ponownie kawę, ten mały drań kradł gazety z torby. Okradał własnego pracodawcę. A kiedy wychodziła z psem, widziała małego oszusta sprzedającego ukradzione gazety przed wejściem do metra. I krew się w niej gotowała, gdy proponował jej kupno czasopisma, pozdrawiając ją przed tym chrześcijańskim „Szczęść Boże". Przeżuwając złość, szła ulicą w dół. Jednak złe samopoczucie poprawiało się błyskawicznie, bo po drodze mijała ogromne plakaty. Na tych plakatach widniał Lider. Zbliżały się wybory i primaria wierzyła, że naród się ocknie, że wszyscy zagłosują na Lidera. A Lider spoglądał na primarię Annę Marię, szczerząc białe, pełne, nienaganne uzębienie. Zachęcał białą, nienaganną cerą i piękną szyją moszczącą się w białym, nienagannym kołnierzyku. Rozpiętym i bez krawata, bo Lider, choć miał pięćdziesiąt sześć lat, preferował luźny i sportowy styl. Tak zwaną kontrolowaną młodość. Lider mrugał do przechodniów z alpejskiej łąki, której trawa poprzetykana była białym kwieciem. A na dole plakatu widniało hasło: „Jasna teraźniejszość, jasna przyszłość, jasna wieczność!". Primaria ufała Liderowi. Wierzyła, że wszystko może wrócić do dawnych porządków, i w napięciu odkreślała w kalendarzu dni pozostałe do wyborów.

3

Zbliżał się nowy rok i primaria uniwersytecko dyplomowana profesorka, doktorka, nadlekarka, pani Anna Maria Prochaska-Placek poczuła, że może wkroczyć w niego z prezentem, z prezentem dla ojczyzny, Lidera i siebie. Najpiękniejszym prezentem, jaki mogła wyśnić. Na oddział po raz pierwszy od niepamiętnych czasów zawitała Austriaczka. Primarii nie przeszkadzało, że ciężarna jest kobietą z tak zwaną przeszłością. Po trzech skrobankach i na głodzie narkotykowym. Widziała w tym palec boży. Symboliczne nawrócenie narodu. W nocy z trzydziestego pierwszego grudnia na pierwszego stycznia urodził się pierwszy wiedeńczyk... Murzyn. Profesorka, doktorka, nadlekarka mimo niesprzyjających okoliczności nie straciła zimnej krwi. Personelowi kazała wdziać koszulki awaryjne z napisem „Jesteśmy społeczeństwem multikulturowym". Na krótko przed przybyciem prasy i telewizji odbyła rozmowę z matką. Nakłoniła ją, aby powiedziała przed kamerami, że ojcem dziecka jest Portugalczyk, że nie mógł być przy porodzie, bo musiał polecieć do Lizbony, wezwany do ciężko chorego tatusia. Za to zeznanie miała otrzymać kilkanaście opakowań gratisowych pampersów. Primaria sama wystąpiła przed kamerami, przyznając, że był to bardzo trudny poród, ale cieszy się, że nasz Austroportugalczyk, którego matka zamierza ochrzcić imieniem Joerg, czuje się dobrze i jest nadzieją dla młodego pokolenia wiedeńczyków.

4

Choć w szpitalu dalej rodzili się Turcy, Serbowie i Czeczeni, primaria, powróciwszy z urlopu wzmocniona i wypoczęta, święcie wierzyła w wynik zbliżających się wyborów. W niedzielny poranek, na krótko przed otwarciem lokali, radio podało, że Lider, prowadząc swoją rządową limuzynę, rozbił się na przedmieściach stolicy południowego kraju związkowego; zginął na miejscu. Nie mogła uwierzyć w komunikat. Nie, nie, to jakaś straszliwa pomyłka, to się nie mogło stać! Dlaczego? Jej wewnętrzne rozdarcie spotęgowały późniejsze wprost niewiarygodne doniesienia. Mówiono, że w krwi zmarłego stwierdzono sporą zawartość alkoholu i że jechał z ogromną szybkością. To niemożliwe, pomyślała. On? Lider? Alkohol, nadmierna prędkość? Teraz się na nim odgrywają, bo nie może się już bronić...

Następne dni nie były dla niej łatwiejsze, bo prasa wprost bombardowała nowymi wiadomościami; opublikowano też ostatnie zdjęcia przywódcy. Na dzień przed tragicznym wypadkiem Lider spędził wieczór w klubie dla homoseksualistów. Kiedy to zobaczyła, cisnęła gazetą o podłogę i zapłakała. Jak mogą go tak oczerniać, przecież miał kochającą żonę i córki... Nie mogła się pogodzić z tymi oszczerstwami, ale prasa była bezlitosna. Opublikowała następne fotografie zrobione na krótko przed wypadkiem. Były to zdjęcia z nocnego klubu, na których Lider wznosił toast, a obok niego stał młody sekretarz jego partii, w którym Lider widział przyszłego następcę. W artykule reporter pisał, że z tym oto młodym człowiekiem łączyła Lidera przyjaźń dużo głębsza od politycznej. Chłopak ze zdjęcia potwierdził publicznie, że był kochankiem Lidera, lecz nikt nie chciał w to wierzyć – zaczęto wietrzyć ogólnoeuropejski spisek. Pojawiły się głosy, iż nie był to zwykły wypadek, ale zamach. Kilka dni po pogrzebie kioski i księgarnie uginały się pod stosami kalendarzy, płyt, albumów i książek o Liderze, jego ukochanej żonie i ukochanych córkach. Wdowa zleciła nawet ekshumację i powtórną sekcję zwłok w niezależnej klinice we włoskim Tyrolu. Przywódcy partii narodowych z całej Europy przesyłali depesze kondolencyjne, nawet pewien afrykański kacyk, znany z tego, że pożarł osobiście wszystkich swoich przeciwników politycznych, wystosował długi list, w którym obwoływał się wiernym uczniem zmarłego.

Po tej tragedii primaria uniwersytecko dyplomowana profesorka, doktorka, nadlekarka, pani Anna Maria Prochaska-Placek przestała wierzyć, że możliwa jest zmiana teraźniejszości, a nawet przyszłości, o których tak wzniośle mówił świętej pamięci Lider. Patrzyła na swój szpital i cały Wiedeń, który z roku na rok coraz bardziej tonął w kolorach – wszystkich, ale nie białych. A kiedyś przeczytała artykuł pewnego plastyka z Akademii Sztuk Stosowanych imienia Oskara Kokoschki, wyjaśniający, że kolor biały nie istnieje i że tak naprawdę biały jest brakiem koloru. Wtedy primaria coraz intensywniej zaczęła myśleć o rzeczy, o której mówił nieodżałowany Lider. Jedynie ta ostatnia możliwość wydawała się w zaistniałej sytuacji grą wartą świeczki. Bo czym były teraźniejszość i przyszłość w porównaniu z wiecznością? Dlatego pewnego dnia, siedząc w gabinecie zebrań ze swoimi zaufanymi: nadwoźnym, nadpołożną i nadpielęgniarkami, patrząc smętnie w głośnik radioodbiornika, powołując się na pamięć i wizje Lidera, wysunęła projekt nazwany wieczystym, który został jednogłośnie zaaprobowany i nagrodzony owacją na stojąco. A brzmiał on tak: każdego nowo narodzonego Turka lub Turczynkę, jak również inne noworodki z rodziców muzułmańskich chrzcić tajnie zaraz po urodzeniu w imię Ojca i Syna i Ducha Świętego. Amen.

Serbska pochodnia

Rzecz straszna się stała. Byka zabili. Dumę naszą i całą nadzieję naszą. Jeszcze tego brakowało. Najpierw Ameryka jaja nam obcięła przy końcu lutego, a zaraz po niej kundel szczekający głośno, ale fałszywie, Unia zasrana, ze zboczeńców lesbopedalskich zbudowana, wylizała Ameryce dupę. Ale kto Serbię jebie, ten wcześniej czy później ziemię jebać będzie. Serbia! Serbia! Serbia! Wszystko zapamiętane zostanie. Kiedy wam się to gówno z trudem wspólną kasą związane rozjebie i muzułmańskie psy wykopią was z waszych ciepłych, czystych mieszkań, kiedy zaczną podrzynać gardła najpierw waszym psom, bo dzieci nie macie, a potem wam, spedalonym męskim kreaturom, a na koniec zaczną gwałcić wasze głupie baby, co to się boją rodzić, bo boli i cycki potem opadają, kiedy wasze głupie baby zaczną wydawać ze swoich ściśniętych picz muzułmańskie ścierwo, wtedy zaczniecie płakać i wołać o pomoc, wtedy przypomnicie sobie świętą Serbię, którą tak daliście poniżyć. Ale mówię wam, ja to mówię, Gogi Milutinović, za późno już będzie. Za późno na wszystko. Byka nam zabili. Wam też. Bo on tak samo był nasz, jak i wasz. Sam wybrał. A wy go chcieliście. I dumni z Byka byliście tak samo, jak my byliśmy. Byliśmy, bo Byk się wykrwawił, a krew ulicą płynęła ciurkiem z jego gardła. Tak samo i wam popłynie. Już niedługo, sami o to prosicie. No, jak go nazywaliście? No jak? *Stier aus Österreich.* Tak właśnie go nazywaliście. Choć był Byk z Serbii, z Paljeva. Ale mieliście prawo tak na niego mówić, bo dla czerwono-biało-czerwonej wywalczył tytuł mistrza świata i mistrza Europy. No, pamiętacie osiemdziesiąty ósmy, pamiętacie osiemdziesiąty dziewiąty, kiedy ujadaliście za nim jak stado ciecznych suk? Nasz Edip, nasz Edip, wiwatowaliście. Nasz Byk! Byk z Austrii! A teraz nawet porządnego śledztwa nie potraficie przeprowadzić. Karmicie nas głodnymi kawałkami, że to Rusek go załatwił. A to wyście go, nas, załatwili. Tak, tak. Inni też mi mówią, Gogi, na rany Chrystusa, przestań, on nie żyje. To koniec. Daj spokój. Ale ja spokoju nie dam i spokoju nie zaznam, dopóki wam tego nie powiem. Głupi wszyscy jesteście, jeśli myślicie, że Ruski go załatwił. Następnego kozła ofiarnego sobie znaleźliście. A ja wam powiem: żaden Ruski nie podniósłby ręki na Serba. Nigdy! Mówicie, że to nieprawda, że Ruscy szykowali zamach na Tito. Może i szykowali, tyle że on Serbem nie był. Tito, moi drodzy, niedouczeni maniacy, był Chorwatem, a Chorwaci to faszyści i krew Serbów na rękach od wieków noszą. Wam bliżej do nich niż do nas. Ale lubicie wasze świeże bułeczki. Chrupiące, dobrze wypieczone. Z poranną kawusią. A kto je dla was piecze w nocy, bladym świtem? No kto? Przecież nie wy... Nasze dziewczyny wam pieką. Lubicie swoje wielkie i czyste mieszkania. Lubicie pościelone łóżka i czyste ubrania. A kto wam sprząta i pierze? Lubicie wasze czyste ulice i psy – wasze dzieci. A kto wam zamiata ulice i gówna waszych dzieci sprząta? Lubicie wracać bezpiecznie do domu, kiedy jesteście pijani jak świnie w sobotnią noc. Kto siedzi wtedy za kółkiem taksówki, kto kieruje nocnym autobusem? Wy? Lubicie swoje dzieci wysyłać do prywatnych szkół. Dla nas są te gorsze. Jasne, nie stać nas. Wszystko jasne... Lubicie swoje nowe mebelki. A kto je wam wnosi na plecach po krętych schodach waszych mieszkań z wysokimi sufitami w dzielnicach, w których są tylko wysokie sufity? Lubicie muzykę, ale to my, Serbowie, ubrani w peruki i śmieszne łaszki, marznący na placu przed katedrą, udajemy Mozartów i wciskamy bilety na koncert ogłupiałym turystom, abyście wy, nie my, mogli sobie w cieplej sali pograć na skrzypcach i przyjąć oklaski. To my, nie wy, stoimy na głównych ulicach przebrani za rycerzy, magików i kłaniamy się w pas za kilka centów, które wam w kieszeni zostaną po zapłaceniu rachunku w delikatesach. To my, Serbowie, źle lub wcale niemówiący po niemiecku, bo wysyłacie nas na najgorsze kursy językowe prowadzone przez waszych wykolejonych nauczycieli, alkoholików i zboczeńców wylanych ze szkół, na kursy, na których nie można się nauczyć języka, ale są za darmo, to my, nie wy, grzebiemy w waszym zdrowym i błyszczącym gównie, przemierzając w kaloszach i gumowych spodniach na szelkach dziesiątki kilometrów wiedeńskich kanałów. To potem my, nie wy, śmierdzimy łajnem w domu, i to z nami, a nie z wami, nie chcą się jebać kobiety. To te same kobiety, które nie mogą znieść zapachu naszego gówna, muszą na placach zabaw znosić wasze czujne spojrzenia. To wy skazujecie nasze dzieci i wasze też na getta, na getta w piaskownicach i na getta na huśtawkach. To wy dzielicie plac zabaw na sekcje wasze i nasze. To wy brzydzicie się, kiedy przypadkiem nasze dziecko dotknie łopatki albo wiaderka waszego dziecka. To wy lecicie wtedy do hydrantu, żeby szybko zabawkę umyć. I wy śmiecie nam wciskać, że to Rusek, młody Rusek, podciął gardło Edipa Šečovicia? To Ruscy, nie wy, pomagali walczyć nam z muzułmańskim pomiotem, który tak licznie zaprosiliście po wojnie do siebie. Ale to my, a nie wy, pracujemy na nich. Jedyna robota, na której się znają, to kebab. Mnożą się jak króliki, żyją z dzieci i z zasiłków dla bezrobotnych, ale na to wszystko trzeba zarobić, a wam się nie chce robić. Wam się chce długo spać, chodzić do muzeów i na koncerty, wam się chce zarządzać i rządzić, wam się chce wiedzieć wszystko najlepiej. Ale gówno wiecie. Jesteście głupi, a wydaje się wam, że to cały świat wokół was jest głupi i prymitywny. Śpicie. Ale przyjdzie dzień, kiedy się na chwilę obudzicie. We własnych łóżkach się obudzicie z poderżniętymi gardłami. I zobaczycie czerwoną pościel, a obok waszego łóżka będzie stał jebany Kosowar. I będzie się śmiał wam prosto w oczy, kiedy będziecie próbowali złapać oddech, zatykając dłonią cięcie powyżej krtani. A wtedy wyjdą wam gały na wierzch i przypomnicie sobie, że to wy, a nie kto inny, uznaliście w lutym dwa tysiące ósmego zbuntowany kawałek naszej świętej Serbii za niepodległe państwo tych, którzy wam teraz gardło podcięli. Od Ruskich i od nas won! Dobrze wiem, że Edipa zabiła kosowarska bestia. Mówicie, że mi się w głowie poprzewracało, że majaczę? Nie majaczę! Prawdę wam mówię, bo prawdę znam! Jesteście dwulicowi. Z jednej strony nienawidzicie obcokrajowców, a w szczególności muzułmanów, i zrobilibyście wszystko, żeby się ich pozbyć, a z drugiej strony, jak większość sprzedajnych psów unijnych, podpisujecie, że przyjęliście do wiadomości, że część Serbii nazywa się teraz Kosowo i jest państwem. Mało wam jednego państwa albańskiego? Za mało waszych kradzionych mercedesów jeździ po ulicach Tirany? Marzyliście o tym, żeby teraz wasze bmw jeździły ulicami Prisztiny? A ja miałem taką nadzieję, ja, Gogi Milutinović, że weźmiecie przykład ze Słowacji i Hiszpanii, że będziecie w mniejszości, ale takiej, która wie, co to honor i prawda, i nie podpiszecie. A wy jak reszta sługusów Ameryki, jak Polska, kiedyś mi bliska, a teraz daleka, podpisaliście z zimną krwią wyrok skazujący, zapomniawszy o waszych czystych domach, kanałach, szkołach, operach, dzieciach, psach, kościołach, bułeczkach chrupiących, autobusach, taksówkach, tramwajach i ciepłej kawie. I co zrobiliście? Otworzyliście im ambasadę w jednej z lepszych dzielnic. Na rogu Prinz Eugen i Goldegg. Jezu Wszechmogący! Ambasadę im otworzyliście! Czy wy macie pojęcie, coście nam uczynili? A jakby tego było mało, to i sobie w marcu otworzyliście w Prisztinie! Serbia! Serbia! Serbia! Czterdzieści walk wygranych i tylko jedna przegrana. No, co mu zrobiliście! Myślicie, że Knežević, uczeń jego, da radę? Gówno, nie da rady. Kosowarski nóż zabrał Edipa za wcześnie. Nie zdążył podzielić się wiedzą mistrza. To wszystko było niepotrzebne. Jak wam nie wstyd. I to tego ta śmieszna ambasada w środku miasta... A wiecie, jak będzie? Będzie tak: Kosowo wyrżnie do końca nas, Serbów, tam u siebie oczywiście, bo tutaj w Wiedniu to był tylko zwiastun, tylko na naszym biednym Edipie chcieli pokazać, co potrafią, do czego są zdolni. Kosowo zjednoczy się z Albanią, bo na chuj światu dwie Albanie. Światu na chuj były podwójne Niemcy i na chuj światu podwójna Korea. Jak już skurwysyny będą razem, to będą silniejsi, a jak będą silniejsi, to będą chcieli być jeszcze bardziej. Wtedy powiedzą Macedończykom, że połowa ich państwa to Kosowo. I Unia znowu nic nie zrobi, tylko przyklepie rozerwanie następnej prawosławnej ziemi słowiańskiej. A psy greckie ze strachu jeszcze w tym pomogą. Ze strachu, ale im też, leniom jebanym, muzykantom zafajdanym, oszustom i wynalazcom pedalstwa gardła Szeptary poderżną, bo już ich tam ponad milion jest. A jak by inaczej? Robić się nie chce, a oliwki żreć się chce. W gajach oliwnych praca ciężka. Za bezcen sprowadzili sobie albańskie gówno, to im potem za bezcen gardła poderżną. Pić się chce, ale robota w winnicy ciężka, zbyt ciężka dla Greka, to sobie sprowadzili Szeptarów z Macedonii. Tańczyć się chce, na buzuki grać, ale po weselu trzeba posprzątać i ludzi obsłużyć, to sobie sprowadzili gówno z Kosowa. Z torbami was wszystkich puszczą. Najpierw przez wieki walczyliście z tym gównem, a teraz pozwalacie tej muzułmańskiej sraczce rozlewać się po Bałkanach. Śpicie w oliwkach, winie, marcepanach i tłuszczu, który wam mózgi zalał. Padnie Cypr. Padnie Grecja. Padnie Macedonia i jak pozwolicie, żeby Serbia padła do końca, to padniecie i wy. Edip, nasz Byk, i wasz też, jest pierwszym męczennikiem waszej ospałości, gnuśności, braku serca i rozumu. Mówię wam ja, Gogi Milutinović, że jego krew nie na marne popłynęła asfaltem na Gürtlu. I co, może wam się wydaje, że na głowę upadłem z tym Kosowem? Mylicie się. Ambasada stoi na rogu Prinz Eugen i Goldegg. Tak? Z ambasady, idąc w górę Prinz Eugen, do Gürtla jest jakieś dwieście–trzysta metrów. Tak? A od salonu Toyoty na Gürtlu do Chemp's Pubu jest znowu jakieś sto pięćdziesiąt metrów. Tak? Czyli razem czterysta pięćdziesiąt metrów maksymalnie. Tak? Dobrze, a teraz z drugiej strony. Od rogu do końca Goldegg jest jakieś dwieście metrów. Tak czy nie? A potem w górę ulicą przy Sparze do „Wiener Zeitung" jest jakieś sto pięćdziesiąt metrów. Tak? A potem w bok i jesteśmy przy Champ's Pubie po pięćdziesięciu krokach. Tak? Czyli jeszcze bliżej. Tak? To drań miał blisko. Zbyt blisko, żeby się nie wydało. I możecie sobie gadać, że to Rusek zrobił, tak samo jak możecie mi gadać, że to Austria była pierwszą ofiarą faszyzmu, tak samo, że nikt nie chciał anszlusu, że chcecie dobra wszystkich obywateli, że macie taki sam szacunek dla prawosławnych i katolików i dajecie wszystkim równe szanse. Bzdura, bzdura, bzdura. Ja to wam mówię, Gogi Milutinović, ten, który latami wierzył w czystość tego, co gadaliście. Ja, Gogi Milutinović, zostałem oszukany, tak samo jak został oszukany Edip i jemu podobni. Jak są oszukiwane tysiące moich braci i sióstr, którzy uwierzyli wam, wy tchórze! Uśmiechacie się na ulicach i nawet nieznajomych pozdrawiacie, mówiąc „Szczęść Boże"! A w sercach nie macie Boga, tylko szatana. Bo kto ma Boga w sercu, ten nigdy, przenigdy nie będzie pozwalał, żeby w Europie powstawały państwa, które wyrastają na ranach Chrystusa, na świętej ziemi prawosławnej. Pozwalacie krzewić się diabelskiej religii, tej samej, z którą walczyliście, która kiedyś łomotała do waszych wrót. Teraz ją sami zapraszacie. I na własne życzenie ukręci wam, może już całkiem niedługo, wasze bezmyślne łby! Ja wam to mówię, Gogi Milutinović. Zwykły człowiek, uczciwy człowiek. Ojciec czwórki dzieci. Mąż jednej żony. Pracujący, płacący podatki, nigdy niebiorący zasiłku, pasjonat boksu. Wagi średniej i półśredniej. Właśnie tej, w której łomot spuszczał nasz świętej pamięci Edip Šečović. Nasz i wasz Byk z Paljeva. I co? Nie jest wam teraz głupio? Wy, porządni i praworządni, co to dzieci w piwnicach chowacie. Wy, porządni, wierzący katolicy, co to z własnymi córkami dzieci płodzicie. Coście podpalili wszystkie synagogi i wysłaliście w wagonach bydlęcych swoich Żydów na pewną śmierć. Wy, których bogactwo powstało przez to, że zagrabiliście majątki innych. Wy, co podpaliliście piękną katedrę, aby ją obrabować, a światu próbowaliście opowiadać bajki, że to naloty sprzymierzonych zrobiły. Wy, którzy robiliście doświadczenia na dzieciach i którzy byliście oprawcami w obozach koncentracyjnych. Wy, którzy przejęliście dorobek wielkich Żydów, Słowaków, Czechów, Polaków, Węgrów, Chorwatów, Włochów, Słoweńców, Ukraińców i nas, Serbów. To wy wydaliście wyrok na Edipa, to przez was umarł. Wstydźcie się! Ja to wam mówię, Gogi Milutinović, technik geodeta. To ja, Gogi, wam mówię. Ten sam Gogi, który wytyczał miejsce pod wasze bezpieczne drogi i ciepłe domy. Gogi Milutinović, który dumny był z tego, że ludzie bez zmrużenia oka kupują winiety, bo warto, bo jest za co płacić, bo robota dobrze zrobiona. Ja wam to mówię, Gogi Milutinović, syn Jovana Milutinovicia i Jovanki Dziurdzić. Porządnych ludzi, ciężko pracujących, grosz każdy odkładających na to, żeby dzieci ciężarem dla waszego państwa nie były. To ja wam mówię, ja, który wierzyłem, że da się tu żyć, że nie dacie ruszyć naszej i waszej dumy. Ja wam to mówię, potomek serbskich żołnierzy, którzy życie oddawali za to, żeby kebab w Europie się nie rozprzestrzeniał. Gogi, ja. Człowiek oszukany i złamany. Oszukany przez was i złamany przez was też. I może macie wszystko w dupie. To wszystko, co wam teraz powiedziałem, i wszystko to, co wam inni po mnie powiedzą, ale nie dam o Edipie, sobie, naszej świętej prawosławnej Serbii zapomnieć. Wszystko zostało zapisane. O wszystkim przeczytacie w swoich gazetach, które od lat zapełniacie gównem. Przynajmniej raz sobie porządnie poczytacie i fotografie zobaczycie. Gogiego Milutinovicia. Serba, geodety, ojca, męża, prawosławnego i kibica boksu wagi średniej i półśredniej, który w nocy z soboty na niedzielę na rogu Prinz Eugenstraße i Goldegg gasse, naprzeciwko tego, co nazywacie kosowarską ambasadą, oblał się benzyną, podpalił i spłonął. Idę tam.

Diabeł

Kolja mówi. Kolji nie zamyka się buzia. Kolja mówi z papierosem, śniadaniem, termometrem w ustach. Kolja jest moim pomocnikiem. Oprócz niego mam jeszcze dwóch. Cała trójka odrabia służbę wojskową w naszym szpitalu. Dostają po pięćset euro miesięcznie. Śpią z głową na stole, wychodzą często na papierosa i ciągle chorują. No tak, kiedy chłopcy nie śpią na biurkach, nie palą i już nie wiedzą, co ze sobą zrobić, pomagają mi. Ja jestem szefem; tak się do mnie zwracają. Kolja najczęściej i najgłośniej. Szef! Szef! Szef!

Kolja mówi źle po niemiecku, może z tego powodu bardzo dobrze się rozumiemy. Wtrąca serbskie słówka i gestykuluje. Kolja jest serbskim Cyganem i sugestywnie opowiada. Cały czas mówi. Nawet kiedy ładujemy ciężkie szafy do transportera. Kiedyś przybił sobie dłoń do deski, ale nawet wtedy tylko krzyknął i dalej gadał. Czasami boli mnie głowa od tej gadaniny, ale Kolja musi gadać. I gada w kółko.

Kolja jest bardzo wysoki i bardzo chudy. Nie ma pośladków i klatki piersiowej. Jest modnisiem i stawia sobie końcówkę grzywki na sztorc za pomocą żelu. Kolja ma śniadą cerę. Z urody przypomina bardziej wychudzonego mieszkańca Bangladeszu niż lokatora wozu cyrkowego spod Belgradu. Ma krzywy nos i wielkie piwne oczy. Podkrążone, wielkie piwne oczy. Kolja jest zawsze przemęczony. Oprócz tego, że odrabia wojsko, pracuje wieczorami jako barman w hotelu na placu Keplera. Te jego oczy są tak piękne, a zarazem pełne smutku, że Kolji na ogół wszyscy wierzą. Choć przez chwilę, ale wierzą. Ja też. Kiedy nie rozmawia ze mną, gada cały czas przez komórkę i gestykuluje, a jego bransoleta, skonstruowana z miniaturek prawosławnych ikon, przyjemnie szeleści. Kolja ma żonę i małe dziecko i rozmawia w taki sposób przez ten telefon, jakby udowadniał, że to od niego zależą przyszłe losy świata. Kolja pali i rozmawia, a potem odpala następnego papierosa i kończy zazwyczaj, kiedy bateria całkiem się wyładuje.

– Szef, dostał już szef rozliczenie za gaz? – pyta.

– No, dostałem – odpowiadam.

– I co? Dopłata, nie?

– No tak.

– Szef, mi to teraz z żoną ten gaz tyłkiem wychodzi i pali się. Szef, ja mam kawalerkę dwadzieścia siedem metrów, jeden pokój. Wie szef, ile kazali mi zapłacić? Wyrównania zapłacić?! Tysiąc pięćset euro! Ja się chyba rozwiodę, ta moja żona tylko siedzi w domu i grzeje. A wie szef, że ja to nie miałbym problemu, żeby żyć lepiej i gdzie indziej, bo wie szef, tu się żyć obcokrajowcom nie da. Niech się szef zapyta jakiegoś Austriaka, czy mu kazali dopłacić. Gówno, szef! Im jeszcze pieniądze oddają, bo to, szef, jest tak, że nam odbierają, a im dają, bo to całe państwo jest skierowane przeciwko obcokrajowcom. No i co, szef? To ja mam teraz trzy miesiące w służbie zastępczej przerobić na gaz? Dobrze, że mam robotę barmana. A wie szef, przyszła kiedyś taka jedna i po angielsku do mnie mówi, to ja do niej też, bo angielski trochę znam. A ona pyta, jak mam na imię. Kolja, mówię. Kolja, piękne imię. A ty, Kolja, jesteś szczęśliwym człowiekiem? A ja jej mówię, że ujdzie. Szef! A ona mówi, podobasz mi się Kolja, takie smaczne drinki robisz, takie masz piękne oczy i jesteś taki inteligentny. A co byś, Kolja, powiedział, gdybym cię zabrała do Kanady i kupiła ci restaurację? Jestem milionerką, a ty tak pięknie przyrządzasz te drinki. No, co byś, Kolja, powiedział? Szef! Dreszcze mnie przeszły, ale żona, dziecko, wie szef... To jej mówię, że nie jestem sam, i pokazuję obrączkę. A ona na to, że to nic. I dalej mówi. Ja ci kupię restaurację, a potem będziesz sobie mógł sprowadzić rodzinę, ale przyrzeknij mi, że raz w tygodniu będziesz tylko dla mnie, że mnie będziesz kochał, i kochał tak, jak ci każę. Uczynię cię szczęśliwym i bogatym człowiekiem, tylko powiedz tak!

– I co? – zapytałem Kolję, przerywając ten gorączko-
wy monolog.

– Nic, szef, nic. Ona mi o Kanadzie mówiła, a to jest
strasznie daleko, samochodem nie dojedziesz, latać się
boję, a statkiem też nie da rady, bo jak będzie katastrofa, to ja pływać nie potrafię i się utopię, i po co mi to
wszystko?!

– I co? – pytam raz jeszcze.

– Nic, szef, nic. Odmówiłem, ale szef, jak zapytałem,
czy w takim razie może mi dać trochę kasy na gaz, bo
przecież jest milionerką, to wie szef, co odpowiedziała? Kochany Kolju! Albo Kanada, albo nic... Szef! Szef! –
woła Kolja. – A szef jakie auta lubi?

– Takie, które się nie psują – odpowiadam.

– Eeee tam, szef na pewno lubi niemieckie marki.
Szef, ja muszę kupić samochód. Wie szef, komfort mi
potrzebny. Jak człowiek ma dobre auto, to i Austriak dla
człowieka milszy. Nie, szef?! Ale mam problem, szef, nie
mam prawa jazdy, to znaczy miałem, ale mi zabrali. Wie
szef, przyszli ludzie do hotelu, fajne, młode dziewczyny. Już prawie koniec zmiany, ja im te drinki robię, a jak
podam, to one mi mówią, żebym sobie zrobił takiego
samego, one zapłacą, to robię sobie też. Szef! Późno się
zrobiło, ja już po zmianie całkiem pijany, a jedna z nich
się pyta, czy ją do domu podwiozę. No to ja dobra, szef.
Wsiadamy, ona mi mówi, gdzie jechać, to ja jadę, a ona
łap za rozporek i mi wyjmuje. I bierze do ust i ciągnie. No to ja, szef, o świecie zapominam, i jedną ręką

kierownicę, a drugą jej głowę trzymam. Dochodzę. Szef, szef! Dochodzę i strzelam, i puszczam kierownicę, głowę jej przytrzymuję, a auto jedzie. Ona tylko zdąży- ła podnieść głowę, a auto ląduje w restauracji. Klienci uciekają, ona z buzią pełną, bo z wrażenia zapomniała połknąć, ja z interesem na wierzchu, cały mokry, krzy- ki, policja. No i, szef, zabrali mi prawko. Trzy tysiące euro mandat i mój stary musiał pokryć koszty remontu restauracji. A mój stary to załatwia prawa jazdy, może szef chce?

– Kolja – mówię – jeśli załatwia, to czemu tobie no- wego nie załatwi?

– Bo wie szef, to jest człowiek honoru, a ja jestem jego synem, powiedział mi, zmoczyłeś tyłek, to rób so- bie nowe prawo jazdy sam, ale szefowi mogę załatwić. Szef, szef! To jest świetny interes, mój stary bierze tyl- ko czterysta euro. Szef daje swoje dane, a płacone jest przy odbiorze. Pewna sprawa. Legalne prawo jazdy. Jak szefa pijanego złapią i zabiorą, to na drugi dzień szef będzie mógł znowu wejść za kółko, a po pół roku będzie sobie mógł je szef przepisać tu na miejscu, oni uznają serbskie. Niech się szef zastanowi. Ja wszystko szefowi załatwię.

Od dawna nosiłem się z zamiarem zrobienia prawa jazdy na motocykl, ale ceny kursu odstraszały. Pomyśla- łem, cholera, a może Kolja tym razem nie kłamie, może ma ojca, który załatwia prawka po czterysta euro.

– No dobrze – mówię.

– Szef, szef! Dobrze, że się szef zdecydował. Takie tanie prawo jazdy na motocykl, nigdzie tu szef takiego nie zrobi. Szef mi przyniesie swoje dane, a ja to podam ojcu. Szef będzie miał prawko za dwa tygodnie.

Po dwóch tygodniach Kolja zaczyna na mnie dziwnie patrzeć i kiedy jedziemy odebrać nową lodówkę, zaczyna: – Szef, ten mój ojciec to kompletny idiota. Narobił za ostatnim razem straszliwych bzdur w Serbii. Wspólnicy mu zarzucali, że dużo kasy bierze dla siebie za pośrednictwo. A wczoraj mówi do mnie: Kolja, ja muszę zniknąć na pół roku, tutaj jest koperta, a w tej kopercie dwadzieścia dwa tysiące euro, wieczorem przyjdą po nią, oddasz im. Czekam, czekam, a o dziewiątej dzwonek do drzwi. Otwieram i kogo widzę w drzwiach? No kogo, szef? Policja kryminalna! I pytają, czy mam kopertę. Mam. Idę do kuchni i im oddaję. Salutują i wychodzą.

Patrzę w te piękne, wielkie, podkrążone oczy Kolji i pytam:

– To co? To już nie jest możliwe?

A Kolja, patrząc w moje modre, normalnej wielkości oczy, odpowiada:

– Szef, wszystko jest możliwe, ale musimy teraz poczekać...

– Szef, szef! Stoję za barem, wchodzi lufa. Podchodzi do mnie. Niemożliwie piękne piersi. Zbliża się. Patrzę dalej na te piersi. Szef, szef! Szef by pomyślał, że to silikon. Każdy by tak pomyślał. Sam tak myślałem, bo takie okrągłe, postawione, regularne, no, szef, jak planety. Ona stoi przed barem, ja za. Wyciągam ręce zza baru i macam. Prawdziwe! Na świętego Sawę! Prawdziwe, żaden silikon. – Podekscytowany Kolja żegna się w prawosławny sposób. – Macam dalej te piersi, a ona mówi, jestem głodna, zmęczona, chcę się wykąpać. Pytam, czy zje pizzę. Dobrze, mówi, ale bez ostrych papryczek. Po ostrych papryczkach swędzi mnie tyłek, a chciałam ci się jakoś odwdzięczyć. Szef, przynoszę jej pizzę. Je szybko, widać, że głodna. Szef, a te jej piersi prawie się przylepiają do plasterków salami. Zjadła. Podziękowała, zrobiłem jej drinka. Wypiła i mówi, że teraz chce się wykąpać. To idziemy razem na górę. Otwieram pokój, wskazuję ręką łazienkę. Ona wchodzi, zamyka drzwi. Spuszczam spodnie i majtki do kostek. Czekam. Szef, słyszę jak zakręca kurki, jak woda przestaje szumieć. Szef, słyszę, jak się wyciera ręcznikiem. Ja już cały gotowy, na sztorc. Myślę sobie, oj, Kolja, szczęściarz z ciebie, mało kto za pizzę i prysznic może obrócić panienkę z takim biustem, a jak ma taki sam dół jak biust, to kosmos, szef, to kosmos! – Kolja znowu żegna się, całuje na koniec palce ułożone w taki sam sposób jak Chrystus z ikony. – Szef, ja już nie mogę. Wychodzi. I co? Cała w tatuażach... Tylko te piersi ma bez rysunków. To chodź, mówi. Jak chcesz, pyta.

– I co było dalej?

– Nic, szef. Ja nie mogę się kochać z kobietami, które wszędzie mają rysunki. Podciągnąłem majtki, spodnie i mówię do niej, prześpij się, ja mam żonę i dziecko, muszę na dół, kasę zarabiać muszę.

A pewnego dnia Kolja już nie przyszedł do naszego szpitala. Zadzwonił tylko i powiedział, że jego matka wygrała w lotto.

Plagiat

Rudi Holz skończył wpinać sztuczną gerberę w jasne włosy i cofnął się dwa kroki, żeby ocenić, jak wygląda. Po chwili złapał się oburącz za biodra. Sukienka leżała na nim jak na kobiecie w ósmym miesiącu. Wstawienie klinów nic nie da, pomyślał z lekka poirytowany. Raz jeszcze zerknął w lustro, raz jeszcze rzucił okiem na ciężarną, odwrócił się energicznie i wszedł do sypialni. Okna od wczoraj były otwarte i pomieszczenie wypełniały irytujące głosy. Rudi Holz mieszkał na trzecim piętrze, naprzeciwko boiska szkoły dla dzieci specjalnej troski. Wczesnym popołudniem ich krzyki stawały się nie do wytrzymania. Chryste, gdyby miał tego świadomość, zanim podpisał umowę z tą pindą z Hertha Müller Immobilien!

Przeklinając pod nosem, zamknął okna; dla niego w sumie mogłyby pozostać tak szczelnie zamknięte przez następne trzy lata. Lecz był zbyt podekscytowany, żeby gniewać się na serio. Miał się spotkać

z Marcelem Reichem, z samym Marcelem Reichem-
-Ranickim, i to właśnie dzisiaj. Dzisiejszego popołudnia! Gdy o tym myślał, czuł niepokojące łechtanie
w żołądku. Nie widzieli się prawie sześć lat. Ilekroć
Rudi Holz znajdował się wśród ludzi opowiadających
o wojnie, tylekroć oznajmiał:

— Wiecie, mam przyjaciela, niejakiego Marcela Reicha-
-Ranickiego, który akurat teraz mieszka w Niemczech, ale mieszkał w Polsce, kiedy weszli Niemcy!
Boże, co za koszmar, jak sobie pomyślę, co musiał tam
przejść!

Rudi Holz opowiadał o tym w taki sposób, jakby to
jego, a nie Marcela los decydował się w tamtych chwi-
lach. Jeśli wśród słuchających był ktoś, kto wcześniej
nie słyszał tej historii, z chęcią dorzucał wyjaśnienia na
temat przyjaciela.

— No bo nie wiem, czy zdajesz sobie z tego sprawę —
mówił — że Marcel był od dziecka bardzo utalentowaną
jednostką, interesował się literaturą i innymi rzeczami.
Sporo podróżował po świecie. A jak zmarł jego ojciec,
to odziedziczył po nim spory majątek, ale nie ruszył
się z Polski i nie wyjechał na dobre. Marcel to był człowiek z fantazją, więc się ożenił z jakąś upiornie bogatą
baronową żydowskiego pochodzenia. Słyszałeś o niej?
Edgar Kurzschwanz nadal ją wymienia w rubryce towa-
rzyskiej...

I Rudi Holz potrafił dalej tak ciągnąć, jakby to był jakiś poważny wykład z archeologii Ziemi Świętej. Marcel

Reich znowu w Wiedniu, pomyślał, podekscytowany sytuacją. Poprawił duże żółte poduszki na sofie, przysiadł i przenikliwie rozejrzał się po pokoju. To ciekawe, że ludzie nigdy nie zwracają uwagi na to, w jakich warunkach żyją, dopóki nie mają wizyty na karku. Ale ta nasza ukraińska sprzątaczka się stara. Jest na wagę złota. Pewnie kretynka nie ma pojęcia, że siłą rzeczy utrzymuje przedwojenny poziom.

Dzyń. Był tak zakręcony, że dzwonek zadzwonił jeszcze trzy razy, nim ruszył się z miejsca. W pierwszym momencie nie rozpoznał przyjaciela. Mężczyzna, który stał przed nim, miał na głowie niemodną rudą perukę, dawno nieczesaną i przykurzoną. I ta bistorowa sukienka w środku stycznia? Jednak Rudi Holz starał się nie okazywać swego rozczarowania.

– Drogi Marcelu, wyłowiłbym cię bez trudu z tysiąca innych osób!

Mężczyzna dalej stał w progu. Trzymał pod pachą zielone pudło i wiercił swoim przenikliwym wzrokiem Rudiego.

– Poważnie, Rudolfie? Ja też bym cię rozpoznał, ale chyba trochę kilogramów przybrałeś, nieprawda?

Marcel pocałował Rudiego w usta i wszedł. Zszokowany gospodarz nie wiedział, co odpowiedzieć. Przeszli więc do pokoju i usiedli.

– Może się czegoś napijesz?

Marcel przecząco potrząsnął głową.

– Może ciasteczko?

W tym momencie zegar z kukułką przerwał serię jednostronnych pytań. Do tej pory Rudi nie zdawał sobie sprawy, że jest tak irytującym przedmiotem. Kuku, kuku, kuku... Wreszcie zamknęła się.

– Nie jestem spragniony ani głodny. Daj spokój – powiedział Marcel.

– To opowiadaj. Po kolei. Kiedy przyjechałeś do Wiednia?

Uwielbiał brzmienie tego słowa: Wie-deń. Marcel postawił pudło na parkiecie.

– Jestem już ponad rok. – I pośpiesznie dodał, widząc zdziwienie na twarzy przyjaciela. – W samym Wiedniu od niedawna. Przecież skontaktowałbym się z tobą wcześniej. Byłem w Salzburgu.

– A, Salzburg! Cudowne miasto! – krzyknął Rudi w zachwycie, choć w życiu nie wypuścił się dalej niż do Melku.

Marcel uśmiechnął się, odsłaniając tę swoją potworną szparę między górnymi jedynkami. A zęby do tego miał brudne i Rudolf z miejsca pomyślał o szczoteczce i paście.

– Kiedy przyjechałem w zeszłym tygodniu do Wiednia, od razu pomyślałem o tobie. Okrutnie się zmordowałem, nim cię odnalazłem, bo za Chiny nie mogłem sobie przypomnieć nazwiska twojej żony, które przyjąłeś po ślubie jako pierwsze...

– Klimko – wtrącił Rudi.

– ...ale w końcu odnalazłem cię w książce telefonicznej i oto jestem. Wiesz, Rudolfie, prawdę mówiąc, mocniej i intensywniej zacząłem o tobie myśleć, kiedy postanowiłem pozbyć się mojej kurtki z krecich skórek. – Marcel dostrzegł nagły rumieniec na twarzy Rudiego.

– Twojej kurtki z krecich skórek?

– Tak – powiedział Reich-Ranicki, podnosząc z podłogi zielone pudło. – Pamiętasz chyba moje kreciki. Zawsze je tak podziwiałeś, kiedyśmy się wymykali do Melku spod opiekuńczych skrzydeł naszych żon. Mówiłeś wtedy, że jest to najpiękniejsze futerko, jakie w życiu widziałeś.

– *Natürlich! Natürlich!* – wykrzyknął Rudi, niewiedeńsko akcentując tylnojęzykowe er.

– Więc powiedziałem sobie: po co ci, Marcelku, to futerko? Czemu by nie podarować go Rudiemu? Wiesz, właśnie kupiłem sobie w Berlinie nieziemsko sexy rosomaki, a nie potrzebuję dwóch kurtek. No i jeszcze mam w domu futro z...

Rudi, spoglądając na Marcela odwijającego papier, zauważył odłażący tani lakier na jego paznokciach, w oczy rzucił mu się też brak ulubionego sygnetu z niebieskim oczkiem; nieoczekiwanie uświadomił sobie wiele innych rzeczy.

– Pomyślałem, że jeśli ty nie zechcesz tej kurtki, to zachowam ją, bo nie wyobrażam sobie, że miałby ją nosić ktoś inny. – Marcel podniósł kurtkę i obracał ją w różne strony. Kreciki były cudne, połyskliwe i gładkie jak tafla lodowiska przed ratuszem. Rudi dotknął palcami włosia.

– Ile?

– Dałem za nie trzy tysiące marek. Trzy tysiące to za drogo? Nie wiem, ile to wyjdzie w szylingach...

Z boiska dobiegł upiorny głos jednego z podopiecznych szkoły specjalnej, ale nie zdołał zdekoncentrować Rudiego.

– Przykro mi, ale to dla mnie za drogo. Nie mogę sobie teraz na nią pozwolić – powiedział z bólem w sercu, nie spuszczając wzroku z krecich futerek, bo bał się podnieść oczu na Marcela.

Ranicki rzucił kurtkę na krzesło.

– Chciałem, żebyś je miał. Tu nie o pieniądze chodzi, choć myślę, że trochę powinno mi się zwrócić. A ile możesz?

Boże, co to za okropny sen, pomyślał Rudi.

– Tysiąc może – wyszeptał niepewnie.

Marcel sięgnął po kurtkę.

– To teraz zobaczymy, jak będzie na tobie leżeć.

Weszli do sypialni i Rudi przymierzył kreciki, stojąc przed dużym lustrem wmontowanym w drzwi szafy.

– Wystarczy parę poprawek, jakieś dwa małe kliniki po bokach – powiedział Marcel z nieskrywaną radością, przypomniawszy sobie swój komentarz wygłoszony w progu i patrząc na pękającą w szwach sukienkę Rudolfa.

– Myślę, że jest piękna, Marcelu. Dziękuję, że pomyślałeś o mnie.

– Możesz mi wypisać czek – rzucił Ranicki beznamiętnym tonem.

– Oczywiście. Pomyśl tylko, drogi Marcelu. Ja, Rudolf Klimko-Holz, we własnej kurtce z krecich skórek!

Wrócili do pokoju i Rudi wypisał czek. Marcel złożył go z namaszczeniem i wsunął do skórzanej torebki.

– Piszesz coś jeszcze? – wciąż obojętnym tonem zapytał Reich-Ranicki.

– Mam tu takie... Zerkniesz? – zapytał Rudi i udał się do sypialni. Z komody wyjął dużą płaską kopertę przewiązaną różową wstążką. – Opowiadanie. Rzucisz okiem?

– Teraz?

– To tylko cztery strony.

Zapadła cisza; Marcel Reich-Ranicki pogrążył się w lekturze. Tylko on jeden na całym świecie potrafił oddać się do końca i tak prawdziwie literaturze.

– Twoje?

– Nie moje, ale na własność.

– Chcesz to wydać?

– Chcę.

– Krytycy to banda edukowanych debili. Jest całkiem wysokie prawdopodobieństwo, że ci się uda...

Rudi Holz próbował podtrzymać rozmowę, ale poczuł chłód i brak zainteresowania. – A gdzie jest twoja żona, Marcel? – zapytał. – Musisz ją kiedyś przyprowadzić, to sobie pogadają z moją, a my, jak za dawnych lat

i tak jak teraz, przebierzemy się w ich ciuszki i pryśnie-
my do Melku.

– Aaa, żona. Nie widziałem jej ze sto lat. Ponoć po-
mieszkuje tu i tam. Ostatnio, zdaje się, w Londynie. –
I to było wszystko, co miał do powiedzenia na ten temat. Na koniec przyrzekł, że jutro zadzwoni, i wyszedł.

Rudi zamknął za nim drzwi i pomyślał: Biedny Marcel.
On jest po prostu bez grosza.

Wziął kurtkę i wszedł do sypialni. Nie mogę powiedzieć żonie, w jaki sposób zdobyłem te kreciki. Chryste, tylko jak wyrównam ten brak na koncie? Postanowił
schować kurtkę tak, żeby żona jej nigdy nie znalazła;
potem któregoś dnia wyjmie ją i powie: No popatrz,
moja droga, jakie cudne kreciki. Kupiłem je na targu za
bezcen. Są jak ulał na ciebie!

Powiesił kurtkę na wieszaku i zaczął ją upychać w ot-
chłaniach szafy; znieruchomiał, słysząc dźwięk rozdzie-
ranej skóry. A kiedy wyciągnął kurtkę z szafy, poczuł
przerażenie i pustkę, bo zdał sobie sprawę, że kurtka
jest całkowicie zetlała, że Marcel oszukał go jak małe
dziecko. Tak samo jak przed laty w Melku. W złości zacisnął palce na sztucznej gerberze wpiętej we włosy
i nagle uświadomił sobie, że Marcel Reich-Ranicki już
się nie pojawi. Ani jutro, ani pojutrze. Nigdy...

Plagiat popełnił Hubert Klimko-Dobrzaniecki

Izabelli Cywińskiej

Premiera

1

Boże – westchnął – książki żyją tak krótko. Pewnie nikt już o niej nie pamięta... Ale właściwie czemu miałby? Ani to o przemocy w rodzinie, ani o odchudzaniu się czy komandosach. Ni o Polakach, ulubionym temacie Polaków. O płaskim kraju zaklętym między rzekami tym bardziej to nie było. Więc...

Rok temu próbowała się dodzwonić. Numer komórki dostała od wydawcy, ale nie odbierał. Nie lubił rozmawiać przez telefon, to po pierwsze. Po drugie, telefon miał trzynaście lat. Stary, w kształcie wielkiej kostki domina, wyładowywał się przy pierwszym dzwonku. Jego syn, mieszkający w innym kraju, a od kilku lat nieutrzymujący z nim stosunków, przypuszczalnie z powodu głośnego wywiadu udzielonego największemu dziennikowi, nim zerwał kontakt, mawiał: „Tato, odkąd pamiętam, zawsze miałeś ten telefon. Kup sobie wreszcie nowy.".

Leżała w domu po operacji kręgosłupa i ktoś kupił jej w prezencie książkę. Ponoć postawiła ją na nogi.

– Pani w to wierzy? – zapytał, kiedy po trzech miesiącach spotkali się u niej w mieszkaniu.

– Kup sobie nową komórkę. Dzięki Bogu odbierasz maile, ale to za mało – odpowiedziała.

Kiedy wrócił do Wiednia, z trudem wygrzebał z kieszeni dwadzieścia euro i nabył najtańszy model Nokii. Nie pieniędzy było mu szkoda, lecz traconej wolności. Nie potrafił jednak odmówić. Doskonale zapamiętał jej oczy. Choć przesłonięte okularami, stanowiły mieszankę diabelskiej i anielskiej energii. Jedna z tych, które się przeklina, a potem prosi o wybaczenie. I nigdy w odwrotnej kolejności.

Do branży filmowej był uprzedzony. Uważał ją za siedlisko mitomanów, oszustów, naciągaczy, hien i grafomanów. Nie bez powodu. Co rusz jakiś podleczony wariat chciał pisać z nim scenariusz albo kręcić film, albo jedno i drugie. Ponieważ był zodiakalnym Koziorożcem, uparcie powtarzał, że owszem, ale jak zobaczy zaliczkę na koncie. Znikali bezpowrotnie.

Szybko znalazła producenta, który równie szybko podpisał list intencyjny z wydawnictwem. Choć miał wąsy – a on facetom z wąsami z reguły nie ufał – wyglądał na porządnego człowieka z porządnym dorobkiem producenckim. Nie zniknął jak tamci. Więcej, ustalił wysokość zaliczki, uzależniając ją jednak od dotacji, którą miał otrzymać z pewnej państwowej instytucji, deklarującej popieranie związków literatury i filmu.

Poproszony, zgodził się nawet na wprowadzenie zmian. Głównemu bohaterowi dorobiono polskie korzenie ze strony matki, a kiedy pytali, czy może tak być, odpowiadał, że jeśli zajdzie potrzeba, wyrazi zgodę choćby i na chińskie korzenie. Bo w głębi duszy nosił spełnienie. Reszta była więc tylko dodatkiem. Samej powieści nigdy by nie zmienił. Ani za Polskę, ani za Chiny.

2

Jak się czuł? Czuł się u siebie. Miał mieszkanie. I czuł się też nie u siebie, bo u siebie nie był. Prowadził ograniczone życie towarzyskie. Owszem, mógłby się częściej spotykać. Ale po co? Spotykanie dla samego spotykania? Dawno temu wyjechał. Na wyspie pozostawił żywe części siebie samego. Wydawało się, że wyjazd był w tamtym czasie najlepszym rozwiązaniem. Wydawało się. Tak, być może określenie „mieć rozdarte serce" brzmi tanio i płaczliwie. On rzeczywiście miał rozdarte serce i płakał szczerze. Należał do języka, choć język, w którym pisał, należał do kraju nieprzewidywalnego. Wolał patrzeć nań z oddali. Od czasu do czasu odwiedzać, ale nie przeprowadzać się na stałe. Praca nad scenariuszem zaczęła sprawiać mu przyjemność. Bawiło go dopisywanie nowych scen, choć z drugiej strony męczyła skrótowość myślenia. Kiedy dzwoniła, ożywiał się. Czuł, że łączy ich nie tylko pisanie i przerabianie tekstu. Miał wrażenie, że scenariusz powstaje gdzieś obok, a oni dwoje mają sobie coś innego do powiedzenia. Coś istotniejszego.

Z natury był optymistą. Zupełnie nie zmartwiła go wiadomość o wycofaniu się producenta. Dobrze znał te gadki. O kryzysie pierwszy raz usłyszał, kiedy jeszcze chodził do przedszkola. O cięciach finansowych, gdy odszedł ojciec i zostali z matką sami. Przyrzekł sobie, że już nigdy nie zdradzi swojej intuicji. Nigdy, ale to nigdy nie będzie robił interesów z wąsatymi facetami! Nie traćmy nadziei, mówiła. Znajdę innego producenta. Zrobimy ten film. Ale przez kilka miesięcy nikt nie chciał zainteresować się ich scenariuszem, a większą część funduszy z instytucji popierającej literaturę i film zgarnął pewien utytułowany twórca, który zdaniem wielu powinien dać sobie spokój piętnaście lat temu. Dodatkowy niepokój wzbudził w pisarzu główny bohater dotowanego obrazu. Ten, który dawno powinien odejść, kręcił historię wąsacza niskiego wzrostu i równie niskiej inteligencji, co to przeskoczył bardzo wysoki płot, a potem dostał za to Nobla i kilka doktoratów *honoris causa*. Na koniec został prezydentem kraju.

Gdyby nie te jego wąsy, dałbym reżyserowi jeszcze jedną szansę, pomyślał.

Następne miesiące nie przyniosły zasadniczych zmian, więc zajęła się teatrem, w którym miała niezaprzeczalne dokonania. On wrócił do zarzuconej z powodu scenariusza powieści. Nic też szczególnego nie działo się ani w Warszawie, ani w Wiedniu. No, może z wyjątkiem uporczywego zbierania się kilkudziesięciu wariatów na Krakowskim Przedmieściu pod krzyżem, którzy chcieli obalić prezydenta, a nowym obwołać Chrystusa. W Wiedniu wyszła na jaw sprawa doktora Hansa Krenka. Zimny Doktor w czasie wojny selekcjonował dzieci do uśmiercania, a w 1946 został naddyrektorem wiedeńskich domów dziecka oraz autorytetem w dziedzinie pedagogiki, próbując udowodnić, że głównym problemem młodzieży jest lenistwo oraz fantazje seksualne.

Cały czas utrzymywali kontakt. Ona dzwoniła, on raczej pisał. Pewnego dnia powiedziała mu, że pracuje nad sztuką Jona Fossego, i przesłała mu polski przekład. Norweg nie był mu obcy. Dawno temu, jeszcze kiedy mieszkał na wyspie, był w teatrze na dwóch przedstawieniach. Lubił skandynawskie klimaty i utrzymywał, że rozumie ludzi z Północy. Obawiał się jednak, że przeciętny odbiorca znad Wisły nie zrozumie. Że wyda mu się to wszystko płytkie i nudne. Przez liczne lektury i fascynacje Północą sam starał się pisać jasno i prosto, z czego w kraju niekiedy robiono mu zarzut. Mentalność ludzi od wariackich zrywów, nieudanych powstań, wzajemnie skłóconych, zawistnych i promujących brak fabuł stawała mu się z roku na rok coraz bardziej obca. Powątpiewał więc w powodzenie przedstawienia, ale obiecał przyjechać na premierę.

3

Trzaskające mrozy zmusiły go do rezygnacji z pociągu. Prasa donosiła, że mogą pękać szyny. Na domiar złego dobrze pamiętał, że kilka miesięcy wcześniej gdzieś przed Katowicami wypadł z torów Sobieski czy Polonia. Kupił bilet na nocny autobus do Warszawy i po dwunastu godzinach wysiadł przy peryferyjnej stacji metra. Zatrzymał się w Castle Inn naprzeciwko Zamku Królewskiego. Pokój, który dostał, a który reklamowano jako „Alicja w Krainie Czarów", przypominał skrzyżowanie biura przedsiębiorstwa pogrzebowego, domu publicznego i kasyna. Ale miał jedną zaletę. Mimo trzydziestostopniowego mrozu Alicja była nie tyle z krainy czarów, ile z krainy tropików. Ogrzewanie zupełnie oszalało.

Na krótko przed spektaklem spotkali się.

– Jak to obejrzysz, będziesz wiedział wszystko o życiu – powiedziała i lekko się uśmiechnęła.

Siedział w piątym rzędzie, w środku. Był tak samo ważny, jak ten przygarbiony premier pierwszego niekomunistycznego rządu, którego łokieć kilkakrotnie poczuł. Trzeba dodać, że tylko raz w życiu głosował.

Polityki nie cierpiał, a samych polityków uważał za ludzi o małych sercach i jeszcze mniejszych jajach. Co się tyczy kobiet politycznych, nie mógł pojąć, dlaczego chcą się babrać w tak śmierdzącym szambie, zdominowanym przez egotyczne męskie kreatury. Zgasło światło. Po chwili znowu się zapaliło. Na scenie, w czymś, co przypominało ogromne akwarium, stała dojrzała kobieta w czerwonej bluzce o przydługich rękawach. Pomyślał, że dobrze się przygotowała. Sztuka Norwega, a aktorka jakby żywcem wyjęta z obrazu innego Norwega, Edvarda Muncha. Aktor, który grał syna kobiety, swoją urodą i zachowaniem przypominał typowego mieszkańca kraju fiordów czy innego Szwedoduńczyka. Ale po krótkiej chwili przestał analizować, jak wyglądają i jak się poruszają. Zaczął dokładnie wsłuchiwać się w tekst. I wyobraził sobie, że to on jest w tym akwarium, że jest ojcem w czerwonej koszuli o za długich rękawach, a ten z boku to jego syn. Że są znowu razem i że znowu się nie słyszą. Przez głowę przebiegło mu wiele myśli. Jednak wszystkie były tak splątane, iż z trudem wyciągnął z kłębka tę jedną. Prostą, jasną i prawdziwą.

– Już wiem – powiedział pod nosem. – Już wiem – powtórzył głośniej.

Szafa

1

Zawsze chciała mieć szafę. Ma się rozumieć, że jakąś miała, ale nie traktowała jej poważnie. Coś, co nie posiadało dwóch metrów wysokości, nie było w jej mniemaniu godnym miana szafy. Zatem jego skarpetki wkładała do szuflady pod telewizorem razem z kasetami wideo. Te w szkocką kratkę leżały pomiędzy słoweńską a chorwacką riwierą. A te z obcisłą gumką, zostawiającą siny szlaczek powyżej kostek, oddzielały Sycylię od Malty. Zielona para przetarta na piętach spoczywała luźno w archipelagu Cyklad obok Paros i Antyparos. Majtek miał sporo. Osiem smukłych, pokrytych białą połyskującą farbą tub napełnionych było bokserkami. Po cztery pary na jedną puszkę. Ustawione na najwyższej półce regału z książkami przesłaniały oryginalne wydania *Portretu Doriana Graya*, *Olivera Twista*, *Frankensteina*, *Jądra ciemności*, *Opowieści wigilijnej*, *Alicji w Krainie Czarów* i innych tytułów, które nabył po okazyjnych cenach podczas wycieczki do Londynu. Kiedy przychodzili goście, siłą rzeczy zawieszali wzrok na kolumnie puszek z napisem DUNLOP.

– Mąż gra w tenisa. Jest jednym z lepszych zawodników w klubie – mówiła z dumą.

Nie przeszkadzało mu wyjmowanie świeżych par gaci z puszek po piłeczkach tenisowych czy skarpet spomiędzy kaset, choć rzeczownik „szafa" był w ich życiu odmieniany często. Może zbyt często.

2

Trzy dni przed Bożym Narodzeniem kupili choinkę. Grudzień był znów ciepły. Pijąc kawę, zastanawiali się, czy z powodu globalnego ocieplenia przemysł turystyczny nie pójdzie z torbami. Znajomi nie wróżyli dobrej przyszłości armatkom śnieżnym.

– Sztuczny śnieg to sztuczny śnieg. Na stoku od razu czujesz.

– Co czujesz?

– No, że jest sztuczny.

– Eee tam. Jest biały i zimny. Jeździ się tak samo jak po normalnym.

– Normalny nie jest taki wilgotny. Jeździ się inaczej.

– Gadanie; jakby nie wiedzieli, to nigdy by nie poznali. Kwestia sztucznego śniegu to kwestia nastawienia.

– Taaa, od razu nastawienia. Sama mówisz, że wolisz bez prezerwatywy. Orgazm niby masz, ale mówisz, że bez gumki masz lepszy.

– Oszalałeś? Co to ma wspólnego ze śniegiem?

– Ludzie lubią naturalne rzeczy. Sztuczne to sztuczne.

– Czepiasz się. Przyjeżdżają na narty i mają gdzieś, czy śnieg jest sztuczny, czy prawdziwy. Lubią nasze góry i tyle. Sztuczny śnieg mogą sobie wyprodukować wszędzie. W Polsce na przykład. I co, myślisz, że następnej zimy, nawet jak będzie taka ciepła jak ta, pojadą do Polski?

– Nie pojadą...

– No widzisz!

– Nie pojadą, bo u nas jest taniej...

– Co?

– No tak. U nas jest taniej.

– Jesteś tego pewien?

– Znajomy był w zeszłym roku w tym, no, jak się to nazywa... A, Cakopane, w Tatrach, i mówił, że drożej niż u nas, a prócz tego nie można się najeździć do woli, bo trzeba stać w długiej kolejce do wyciągu. Śnieg mieli swój.

– Sam widzisz. Śnieg mieli swój, ale jeździć się normalnie nie dało i drogo jeszcze. Więc mam rację.

– Rację, rację. To dlaczego kupiłaś prawdziwą choinkę, jeśli lubisz sztuczne rzeczy?

W tym momencie spojrzała na przystrojone drzewko.

– Śliczna. Prawda? I tak cudnie pachnie. Las w domu. Święta w domu... O, gwiazda na czubku trochę się przekrzywiła. Popraw z łaski swojej. Jesteś wyższy.

Pod choinką znalazł trzy pary majtek i parę skarpetek. Jak każdego roku. Majtki w te święta były... w przewadze klimatów hellenistycznych. Jedna para biała, z błękitnymi lamówkami. Druga błękitna, z białymi lamówkami, a trzecia jak flaga San Marino. Połowa biała, a połowa błękitna. Skarpetki czarne dostał.

– Pamiętasz ostatni lipiec i Kretę?

Skinął głową, wkładając bawełnianą biel i błękit do puszki.

– Nie mieszaj ze starymi.

– Co?

– Po świętach kupię ci nowe piłeczki.

– Okej.

Wyjęła spod choinki małe pudełeczko.

– Bulgari...

– Są nowe w tym roku. Zielone takie. Pieprzowe.

Spryskała nadgarstek. Poruszyła energicznie dłonią.

– Rzeczywiście. Pachną dosyć intensywnie. Właśnie tak...

– Podobają ci się?

– Będę się musiała przyzwyczaić.

– To znaczy, że ci się nie podobają...

– Tego nie powiedziałam.

– Czasami nie trzeba mówić.

– Daj spokój, są po prostu inne.

– Inne niż co?

– W tamtym roku dostałam Rose Essentielle. Przy-zwyczaiłam się. Ten zapach jest zupełnie nowy.

– Ale ci się nie podoba...

– Nie rozumiesz kobiet. Inny to wcale nie znaczy, że gorszy. Inny to inny. Nie taki sam. A twój prezent?

– Fajny, tylko czy mógłbym poprosić o więcej skarpe-tek, a mniej majtek w następnym roku?

– Pomyślałam, że jak włożysz te właśnie i jak tego... No wiesz... Będzie wyglądało jak falujące morze. No wiesz...

W tym momencie uśmiechnęła się zalotnie. Wstał ciężko z krzesła i podszedł do choinki.

– Teraz jest prosto?

Spojrzała na gwiazdę. Zmrużyła oko w taki sam spo-sób, jak robią to artyści, kalkulując odległość, i powie-działa:

– Teraz jest prosto. Teraz wszystko wygląda idealnie. Idealna choinka. I żeby te święta były idealne... No to którą parę włożysz?

3

Choinka wyglądała całkiem świeżo, toteż przyszło mu do głowy, żeby nie zastosować się do wytycznych władz dzielnicy. Taaa, nie dość, że zapłaciłem za nią osiemdziesiąt euro, to jeszcze mi mówią, kiedy muszę się jej pozbyć. Dojdzie do tego, że ratusz pismem urzędowym wyznaczy mi datę śmierci i jeśli się nie zdecyduję, będę musiał żyć wiecznie, co nie napawa mnie zbytnim optymizmem. Jeśli mam wiecznie dostawać skarpetki i majtki, to dziękuję za taką wieczność... Co prawda osiemnastego stycznia posprzeczali się o nią, ale pod koniec lutego, gdy choinka całkowicie straciła swoją urodę, uschła i wyglądała jak żałosny patyk z rzadka upstrzony pożółkłymi igiełkami, ostatecznie zdecydował się ją wyrzucić. Nie myślał, żeby pociąć ją w domu na kawałki, zapakować w czarne worki i pozbyć się dowodu zbrodni tak, jak robią to mordercy. Nie chciało mu się również wsadzać kikuta do samochodu i wieźć na śmietnisko. Ale los planety nie był mu obojętny, postanowił więc wepchnąć choinkę do pojemnika na odpadki biologiczne, stojącego dwie przecznice dalej. Cicha noc była i duszy żywej... Nie włożył rękawiczek. Czuł nieprzyjemne łechtanie igieł w półerekcyjnym stanie. Sprężyna klapy zawyła, bo pojemnik był pełen. Wszedł na szczyt i próbował ją upchać pomiędzy ziemniaczane obierki, gnijące skórki pomarańczy, zużyte prezerwatywy i Bóg jeden raczy wiedzieć co jeszcze. Zapomniał, że jest noc, a co za tym idzie ustawowa cisza nocna. Owładnęła nim niekontrolowana euforia. Zamiast zniknąć, zostawić ją, zaczął rytmicznie podskakiwać i w takt tego podskakiwania najpierw pod nosem, a na koniec głośno wyśpiewywać swoją ulubioną kolędę.

Głośniej i głośniej. Światła zaczęły zapalać się w pobliskich budynkach. Kilku ich mieszkańców nie wytrzymało i posłało w jego stronę niewybredne wiązki. Wtedy, w tym koszu na śmieci, mając pod butami stłamszoną, nieżywą choinkę, poczuł niesamowite szczęście i wolność. Może właśnie tamtej nocy pierwszy raz w życiu był sobą? Podskakiwał więc dalej i śpiewał głośno. Chciał się podzielić z ulicą szczęściem i przestał dopiero, kiedy szyby okien porządnych ludzi zaczęły odbijać migające niebieskie światło.

– Jest pan pod wpływem alkoholu lub innych środków odurzających?

– Nie.

– Więc co pan robi w koszu na odpadki biologiczne? Czy pan zdaje sobie sprawę, że zakłóca porządek? Nazwisko, imię i adres. Sprawdź go.

Cisza. Dłuższa cisza. Przejmująca cisza.

– Niekarany, sprawdziłem.

– Ci, którzy dzwonili na posterunek, mówili, że wcisnął pan do tego pojemnika choinkę. Czy to prawda?

– Tak.

– Czy pan wie, że choinki można było wyrzucać do siedemnastego stycznia, i to nie tu, tylko tam, przy murku?

– Wiem.

– To co panu odbiło? Jest ostatni dzień lutego. Pan wepchnął choinkę do kosza na odpadki biologiczne, skacze i wyśpiewuje kolędy. Czy pan jest zdrowy?

– Z ostatnich badań wynika, że tak.

– Hmm. Jakieś kłopoty w domu?

– Nie, w zasadzie żadnych kłopotów. Znaczy się tak!

– No.

– Żona chce kupić dużą szafę, ale ona nie jest nam wcale potrzebna, bo szafę mamy.

– Znaczy się, macie szafę, ale chcecie jeszcze jedną szafę?

– Na to wychodzi.

– I dlatego nie dajecie ludziom spać? Bo macie problem z szafą? Powiem panu coś. Powinniśmy pana przymknąć. Powinniśmy... Pan wyjmie choinkę i wróci z nią do domu. A jak pan rano wstanie, to zapakuje ją pan do samochodu i wywiezie tam, gdzie jest jej miejsce. Na wysypisko, do dwudziestej drugiej dzielnicy. Zrozumiano? Wykonać!

4

– Bo gdybyś nie był leniwy, tobyś się nie ośmieszył. Jak jest napisane, że do siedemnastego, to do siedemnastego. Miasto musi funkcjonować. Przez takich jak ty wybuchają rewolucje, a rewolucje nie są dobre. Rewolucje są zaprzeczeniem porządku.

– Rewolucje wprowadzają porządek. Nowy porządek.

– Nie wymądrzaj się i dziękuj Bogu, że cię nie posadzili. Wiesz, jakie oni wlepiają kary... Popatrz, jakbyśmy mieli wielką szafę, normalną znaczy się, to mogłoby takich sytuacji wcale nie być.

– Co?

– No tak, bo mógłbyś wtedy na przykład porąbać choinkę w domu, potem powsadzać ją do kartoników i do szafy. A potem mógłbyś te kartoniki po jednym wynosić na śmietnik. Pomału. Nawet do wiosny. I daję ci głowę, że nikt by cię nie nakrył. A tak to tylko wariata zrobiłeś z siebie. I tak miałeś dużo szczęścia. Jak zwykle...

Dopiero w połowie marca zdecydował się na ostateczne rozwiązanie. Choinka, krzywa, przypominająca gigantyczną laskę wanilii, od tamtej pamiętnej nocy stojąca w przedpokoju, złamała się na pół. Resztę załatwił tasakiem *made in China* kupionym w Ikei. Choinka została porąbana, jej szczątki podzielone i włożone do pięciu czarnych worków. Jednak nie rozstał się z nimi całkowicie. Zniósł worki do piwnicy. Gdy wrócił, ze zgrozą spojrzał na tasak. Jego ostrze przypominało piłę o nieregularnych zębach. Jakieś kompletne oszustwo i wcale nie tanie, w jednej chwili przypomniał sobie, ile musiał zapłacić. Cholera, niedługo dojdzie do tego, że trumny zaczną sprzedawać w Ikei i za pomocą nimbusa będzie sobie można samemu skręcić taką jedną, a potem trzymać w sza... Gówno, udziela mi się powoli! A jak przyjdzie czas, to wyjmą taką trumnę z szafy, szit! I pewnie rozwali się podczas pogrzebu, bo deski i śrubki będą z Chin czy innego Kazachstanu. Wtedy położą trupa na dywanik i zadzwonią do serwisu. Przyjadą chłopaki z nową trumną, poskładają ją na miejscu w kaplicy i trzeba będzie zapłacić wyłącznie za transport oraz montaż. Druga trumna gratis, w ramach gwarancji. Załóżmy, że gwarancje na trumny będą długie. Jak na łóżka, zestawy kuchenne, garnki ze stali nierdzewnej czy szafy... Cholera! Znowu...

5

Będziesz miał erekcję twardą jak skała! Kłopoty z erekcją? Powiększ swego penisa o dwa cale! To ją z pewnością rozwali! Dzisiaj viagra tańsza niż zwykle! Nie zmarnuj szansy i dostarcz jej niesamowitej przyjemności. Byłeś kiedyś w niebie? Ten nawilżacz zabierze was tam z pewnością! Bądź dziś dla siebie łaskawy, wydaj kilka euro na viagrę. Prędzej serce ci pęknie niż nowe durexy *super safe*! I tak kilka razy w tygodniu skrzynka mailowa przypominała mu w nachalny sposób, że ma już bliżej niż dalej. A przecież nie czuł się staro. Nie miał kłopotów z erekcją. Nie chciał sobie wydłużyć o dwa cale, a serce miał silniejsze niż nowe durexy *super safe*, bo grał w tenisa i odliczał dni, kiedy pogoda się ustatkuje i z hali będzie mógł wyjść na powietrze. Jeśli chodzi o szczegół i wady, to zdarzało mu się lekko wyprzedzać w łóżku, kiedy przypominał sobie, że na SkySporcie nadawali coś z wielkich turniejów. Szafa... Być może niejeden na jego miejscu już dawno by ustąpił. Być może niejeden kupiłby wielką niepotrzebną dla świętego spokoju. Być może niejeden, będąc na jego miejscu, odszedłby. Ale nie on. On trwał uparcie w swoim postanowieniu. Miał zakodowane, że jeśli się na wielką szafę zdecyduje, to będzie inaczej. Może lepiej, a może gorzej. Z pewnością inaczej. Inaczej oznaczało niepewność, a niepewność to był stan, którego się bał. Strach wywoływał nadmierną potliwość dłoni, co zmuszało go do używania większej ilości talku. Nadmierne ilości talku wysuszały dłonie i skóra pękała jak skorupka pieczonego kasztana. A popękanej skóry i pieczonych kasztanów nie znosił. Przypominały mu dzieciństwo i ojca. Ojciec miał zawsze popękaną skórę na dłoniach. Nie grał w tenisa, nie pracował fizycznie i nie robił niczego, co mogłoby powodować tę przypadłość. Dla lekarzy był zagadką, żaden z nich nie potrafił mu pomóc. W szczególności późną jesienią pęknięcia pogłębiały się i bardzo cierpiał. Matka, żeby zrobić mu przyjemność, piekła kasztany w piekarniku i te kasztany z naciętymi i popękanymi skorupkami przypominały skórę na dłoniach ojca. Syczał z bólu, jadł i dziękował. Ten obrazek utkwił mu w pamięci na zawsze.

Tak, niepewności nie znosił. Z tego wynika, że nie miał natury rewolucjonisty, choć od czasu do czasu pohukiwał. Pohukiwał, bo uważał, że mężczyzna powinien pohukiwać. Pohukiwać trzeba. Jak człowiek nie pohukuje, a w szczególności w obecności żony, to oznacza, że wszystko jest w najlepszym porządku. A nic nigdy nie jest i nie będzie w najlepszym porządku. Porządek to stan idealny. Do idealnych stanów powinniśmy dążyć, ale nie oszukujmy się. Nawet Hitlerowi się nie udało. Tak właśnie mawiał jego ojciec, który co prawda był zwolennikiem idealnego porządku, ale w czterdziestym piątym, późną wiosną, nagle mu przeszło. Ale udało mu się to i tamto w synu zaszczepić. Jeśli się odgrażał, upierał i nowym porządkiem straszył, to tylko prewencyjnie, bo w głębi duszy był solą tej ziemi, krwią z krwi i szpikiem jej kości. Zmian nie cierpiał, a swojego występu w koszu na odpadki biologiczne nie mógł zrozumieć i najzwyczajniej w świecie pragnął tę noc wymazać z pamięci. Wstydu też nie lubił. Swojego wstydu, dodajmy, bo wstyd innych i owszem. Jakoś diabelnie kręciło go, kiedy żona, nie zabezpieczywszy się należycie, farbowała prześcieradło na malinowo. Czuł się dowartościowany, ponieważ słowo przepraszam i poczucie skruchy pojawiały się bardzo rzadko.

6

Czwartego lipca kraj obiegła wiadomość: Franciszek Józef Otto Maria Antoni Karol Maksymilian Henryk Sykstus Ksawery Feliks Renat Ludwik Kajetan Pius Ignacy von Habsburg-Lotaryński, z Bożej łaski Cesarz Austrii, Apostolski Król Węgier, Król Czech, Chorwacji, Slawonii, Galicji i Lodomerii, Wielki Książę Krakowa, tutaj bardziej znany jako Doktor Otto von Pozbawiony Habsburg-Lothringen, wyzionął ducha w bawarskiej mieścinie Pöcking.

Wertował gazetę w nadziei znalezienia jakiegoś pikantnego szczegółu, informacji, na co umarł lub kto go uśmiercił, gdy usłyszał sygnał. Niestety, prócz tego, że Habsburg przeżył w świadomości i względnym zdrowiu wiosen dziewięćdziesiąt i dziewięć, niczego szczególnego nie wyczytał. Umarł ze starości, która jest główną przyczyną zgonów w tej części Europy. Odłożył gazetę i ruszył do przedpokoju. Z kieszeni kamizelki wyjął czarną nokię, na której pulpicie widniała żółta koperta. Hej, Markus. Do sześćdziesięciu procent obniżki na duże szafy. Darmowy transport. Oferta aktualna do szesnastego lipca. Nie zwlekaj. Twoja Ikea!

Poczuł, jak miękną mu kolana. Postanowił zapomnieć o wiadomości, lecz w nocy nie mógł zasnąć. Wstał z łóżka i zaczął krążyć po mieszkaniu. Wiele myśli kłębiło się w jego głowie, z tą przewodnią, o dążeniu do porządku, a tym samym spokoju. Tak jak tatuś by chciał. Szafy półdarmo. Transport gratis... Miałaby dużą szafę, a ja miałbym dużo więcej, miałbym ją z głowy. Może warto raz w życiu dać się skusić reklamie. Tylko jeśli szafa będzie jakości tasaka? Wrócił do łóżka, ale nadal nie mógł zasnąć, wyjął więc z szafki nocnej czytnik Kindle, który sobie sprawił w ramach terapii zastępczej przedłużenia penisa. W menu urządzenia odnalazł *Głód* Knuta Hamsuna. Literatura skandynawska działała na niego usypiająco, po przeczytaniu kilkunastu stron chrapał.

7

– Ta mi się podoba – powiedziała, dotykając najwyższej, najdłuższej i najszerszej. Dwa pięćdziesiąt, sześć i jeden dwadzieścia jak nic. Wysuwała i wsuwała jej niezliczone szuflady. Wkładała głowę do wnętrza, jakby liczyła, że producent zafundował jeszcze jakąś niespodziankę. I jak dziecko, które dostało na Gwiazdkę wymarzoną zabawkę, wykrzykiwała z rozbawieniem i zachwytem:

– No popatrz, popatrz! Można wszystko... Jest taka duża, piękna i pojemna. I choinkę nawet można by, i nas razem, i ubrania, buty. Jak sobie wymarzyłam. Bierzemy ją, bierzemy!

Patrzył z politowaniem, a z drugiej strony czuł, że ten wielki i toporny przedmiot, z pewnością *made in China* lub choć po części *made in China*, zapewni mu spokój. Na długie lata. No, przynajmniej na lat pięć, bo na tyle dawali gwarancję.

— A popatrz — zwróciła się do niego z błyskiem w oczach. — Te półki można sobie dowolnie ustawiać i regulować. Powstawiasz mi je tak, jak będę chciała. Dobrze? Nie podoba mi się ten układ. Jest bez sensu. No popatrz. Te tak daleko od siebie. A tamte znowu zbyt blisko. Tutaj ci zostaje kupa miejsca, a tutaj nic.

— Eee, tak tylko to powkładali. Żeby pokazać, że można. Jasne, że ci powkładam tak, jak będziesz chciała. Powkładam, poskładam. No wszystko. Rozumiesz. Wszystko. Tylko chodź już to zamówić i zapłacić.

Gruba kobieta, której wyraz twarzy wskazywał na to, że cierpi na dyskopatię, przyjęła zamówienie i naliczyła opłatę. Wydrukowała z komputera kilka kartek i się podpisała.

— Teraz pójdą państwo na dół do kasy zapłacić i ustalić resztę.

Szafę mieli w częściach przywieźć szesnastego za darmo, jak reklamowali, ale człowiek z działu transportu sugerował fachową pomoc przy montażu. Pomoc, ma się rozumieć, nie była już za darmo. Za pomoc chcieli dodatkowe dwieście euro. Podejrzewał, że to jakiś wielki szwedzko-chiński spisek, więc odmówił, mówiąc, że sam sobie poradzi.

Szesnastego z samego rana zadzwonił domofon.

— Halo. Ikea. Wy otworzyć. My mieć szafa dla was!

Po parunastu minutach wyłonił się z windy długi wózek, a wraz z nim dwie krępe sylwetki. Gdy byli pod drzwiami, przyjrzał się im dokładnie. Wyotworzyć na imię i Szafadlawas na nazwisko mieli śniade cery, grube zrośnięte brwi, czarne połyskliwe włosy i cuchnęło od nich tygodniowym potem. Skąd wiedział, że tygodniowym? Bo była sobota. Słyszał, że ci z południa myją się raz w tygodniu. W niedzielę. Powynosił wcześniej z sypialni wszystko, żeby mieć miejsce i swobodę działania. Wyotworzyć Szafadlawas wnieśli furę podłużnych i ciężkich pakunków, a gdy wózek został opróżniony, stanęli w progu.

– Coś jeszcze? – zapytał.

Nic nie odpowiedzieli. Zrozumiał, że chcą napiwek. Nie mieli szans. Pot...

– Transport i rozładunek gratis? – zapytał. Smutno pokiwali głowami. – To dziękuję.

Kiedy zamknął za nimi drzwi, usłyszał: – *Jebał ti majku. Piczu! Kurec!* – lub coś zbliżonego.

Siedział po turecku w sypialni i przeglądał instrukcję. Broszura objętością i kształtem przypominała tomik poezji wypełniony literaturą industrialną, pełną przecinków w kształcie małych śrubek. Pauz długich i kruchych jak szkło mlecznomatowe. Nawiasów aluminiowych. Wielokropków plastikowych. Drewnianych strof. Lecz najwięcej w tym tomiku było znaków zapytania. Aż przy którymś z rzędu przestał zapytywać sam siebie i pojawiło się stado wykrzykników.

– To jest tak napisane! To jest tak napisane, że...! Żeby cię złoić do końca! To jest tak narysowane, żebyś nie zrozumiał, żebyś musiał sobie sprowadzić tych ich zasranych fachowców! Ale nie dam się! Nie dam się sprowokować ani Szwedom, ani Chińczykom! O nie! Prędzej ducha wyzionę, niż zadzwonię po kogoś! Sam to zrobię! Sam! – I głośno przeklinając, zabrał się do rozszarpywania kartonów.

Koło południa miał już wszystkie elementy posegregowane w logiczne bloki. Na podłodze pod oknem leżały szyby i aluminiowe ramy, kątowniki i inne elementy o zupełnie mu obcych nazwach. Kiedy wsunął jedną z szyb do aluminiowej ramy, usłyszał trzaśnięcie drzwi. A kiedy przyłożył do niej następną ramę i wsunął drugą szybę, w pokoju pojawiła się ona.

– Musisz bardzo uważać z tymi szybami. Przeczytałam w umowie gwarancyjnej, że na wszystko dają gwarancję. Na wszystko z wyjątkiem szyb.

Nie odpowiedział. Nawet na nią nie spojrzał. Czuł w sobie ogromne napięcie i zdenerwowanie. Mrowienie w stopach i dłoniach oraz jakieś niewytłumaczalne prądy świdrujące wargi. Uczucie niepewności rosło i ogarniało całe ciało, bo stała nad nim jak kostucha, uważnie obserwując każdy ruch.

– No co tak stoisz? Chcesz pomóc? Znasz się na tym? Przeszkadzasz mi. Zajmij się czymś. Zostaw mnie samego. Proszę...

– Zaraz pójdę. Jest bezpośrednia transmisja. A wiesz, że zażyczył sobie, żeby mu wyjęli serce i pochowali na Węgrzech w jakimś klasztorze?

– Kiedy sobie zażyczył? Już po śmierci sobie zażyczył? – syknął.

W katedrze Świętego Szczepana oprócz najbliższej rodziny z pierworodnym synem Karolem na czele zebrała się całkiem ciekawa klientela. Rzec by można z półki najwyższej. Właściciel państwa Liechtenstein, blisko spokrewniony ze wszystkimi blisko spokrewnionymi. Ci koronowani mniej spokrewnieni z blisko spokrewnionymi też przyjechali. Taki król Szwecji przyjechał na przykład, inni ze Skandynawii. Z Anglii też, Holandii, Belgii, Luksemburga i nawet kamera zrobiła efektowny najazd na faceta w turbanie, z kozią bródką. Z Jordanii czy innego Kuwejtu człek to był. Kościół mienił się sztandarami i młodzieżą dziwacznie ubraną. Piórkami upstrzoną, medalami poobwieszaną. Nawet zezowaty premier się pojawił i prezydent nasz o twarzy rosomaka. Ale w pierwszych ławkach nie zasiedli. Wszak to ich poprzednicy doprowadzili do tego, że nieboszczyk legalnym cesarzem być już nie zdołał. Leżał teraz w zamkniętej trumnie, z Bawarii przywiezionej, a trumna otulona flagą była. Flagą historyczną. I jeździła po tej trumnie wścibska kamera.

– Gówno! Gówno! Gówno! – A potem krótkie i mocne: – Ja się zajebię!

Wtedy wzięła pilota do ręki i podkręciła o kilka decybeli.

– Zajebię się! Pierdolone chińskie gówno!

Wstała i zamknęła drzwi do pokoju. Nad trumną stał wysoko notowany przez giełdę watykańską arcybiskup Wiednia. Plotki mówiły, że ma szanse na objęcie steru nad organizacją, kiedy odejdzie ten stary bawarski modniś. Kamera pokazuje łzy. Prawdziwe łzy. Ludzie się wzruszają w takich sytuacjach. Kamera pokazuje dobrze i dokładnie. Już bardziej przygłuszone „zajebię" wleciało przez dziurkę od klucza.

Gówno! Gówno! Poczuł duszność i posiniała mu lewa dłoń. Mimo przekleństw i złości praca posuwała się.

A trumnę okadzono. Wykonano szereg dziwnych czynności i wypowiedziano szereg równie dziwnych sformułowań, których nie mogła pojąć. Piękne to wszystko było i uroczyste. Pomyślała, że szkoda. Szkoda, że denat zabiera ze sobą całą długą i piękną historię i amen. Tak też powiedział na koniec tej jakże podniosłej uroczystości, przerywanej anielskimi głosami członków chóru i dźwiękiem instrumentów filharmoników, nasz kardynał. Amen to amen. Do katafalku podeszli faceci w małych filcowych kapelusikach z piórkami, alpejscy jacyś faceci i podnieśli trumnę, i...

– Ja pierdolę! Zajebię siebie! Zajebię!

Tego już nie wytrzymała. Wstała nerwowo z sofy i ruszyła w stronę sypialni, a w niej zobaczyła wariata w ciężkim napadzie agresji, czym prędzej więc się wycofała, kiedy się do niej szaleńczo uśmiechnął.

Kondukt ruszył. Telewizja przepytała tymczasem kilku polityków. Ministra spraw zagranicznych Czech, też von i blisko spokrewnionego z blisko spokrewnionymi, Austriaka czy Niemca z pochodzenia, mówiącego płynnie i nawet lepiej niż ten pajac z mikrofonem w ręku. Minister mówił o wielkiej historii i że szkoda, czy coś w tym rodzaju. Złapali też Polaka. Jakiegoś ważnego urzędnika unijnego, który po niemiecku nie mówił, ale wydawało mu się, że po angielsku i owszem. Choć jak wszystko tego dnia, i jego mowa brzmiała bardzo uroczyście.

– Ja pierdolę! To już koniec! Koniec! Ja pierdolę! – słychać było z sypialni. Zaiste, koniec zbliżał się nieuchronnie, bo kondukt, okraszony policją w odświętnych mundurach i wojskiem, które z tej okazji musiało sobie wystrzelić kilka salw, przeróżnymi bractwami pstrokato ubranymi z mnóstwem równie pstrokatych flag, politykami, ambasadorami, rodami wielkimi i ważnymi, orkiestrami, trębaczami, facetami przebranymi w historyczne mundury z dużą przewagą tych z czasów CK, duchownymi przeróżnej maści, wyznań i stopni i cholera wie kim jeszcze, zbliżał się do kościoła Kapucynów. I miejsce dla zmarłego było przygotowane między mamusią Cesarzową Zytą Burbon-Parmeńską a bratem Karolem Ludwikiem. Lecz nim go tam wpuszczono, musiał...

– Jebany! Jebany! Jebany! Wszystko to jest jebane!

Ale jego głos był już znacznie słabszy. Jakby dawał za wygraną.

Tak, zanim go wpuścili, musiał według obowiązującej tradycji prosić. Mistrz konduktu, w czerń odziany, z czarną laseczką o srebrnej rękojeści, zastukał do wrót kościoła. Z głębi dobiegł głos mnicha:

– Kto tam?

Mistrz konduktu odpowiedział:

– Franciszek Józef Otto Maria Antoni Karol Maksymilian Henryk Sykstus Ksawery Feliks Renat Ludwik Kajetan Pius Ignacy von Habsburg-Lothringen z Bożej łaski Cesarz Austrii, Apostolski Król Węgier, Król Czech, Chorwacji, Slawonii, Galicji i Lodomerii, Wielki Książę Krakowa.

– Nie znamy takiego! – odpowiedział głos zakonnika.

Mistrz konduktu powtórnie zapukał, a głos powtórnie zapytał kto tam.

– To ja. Doktor Otto von Habsburg.

W tym momencie posypały się tytuły naukowe, pozycje, funkcje i tak dalej, i tak dalej, ale głos zakonnika ponownie odpowiedział, że nie znają takiego.

Usłyszała głuchy huk i coś, co przypominało jęknięcie, ale nie ruszyła się sprzed telewizora. Czekała, co się dalej wydarzy. Mistrz konduktu zastukał trzeci raz i głos zapytał po raz trzeci kto tam.

– Otto, grzesznik pospolity, prosi o miejsce na spoczynek.

– Możecie wejść – odpowiedział głos.

Szturm

1

Idzie se człowiek po tej drodze. Trawa, trawa, trawa.
Słupy, słupy, słupy, a na końcu cyk, i koniec wszystkiego. Przepaść. Urwisty brzeg. A za tym brzegiem Mykines. Oj, tam to dopiero mają wesoło. Jeszcze mniej
tych samych gęb i jeszcze więcej gęsi. Gęsi, gęsi, gęsi.
Rzygać mi się chce od tych gęsi. Ci z Mykines to przynajmniej mogą se rybę złowić. A u nas to tylko można
stać się ich żarłem. No bo jak, nie da się inaczej. Chyba
że człowiek obejdzie albo wgramoli się na Eysturtin-
dur i przejdzie na drugą stronę, dojdzie do niższego
brzegu. Wtedy można połowić. Ale komu by się chciało dzień marnować, żeby się na górę wdrapać albo pomiędzy przecisnąć i tam potem na Árnafjall jeszcze zahaczyć, i bokiem... My tu zawsze z roli, z gęsi i innego
ptactwa żyli. I jakoś przeżyli. Ale przez to, że nakłamali
z tym tunelem, co to nas miał z Bøur połączyć, to i lu-

dzie się od nas z wioski wynieśli. Do stolicy, bo tam łatwiej, a w sklepach to można se różne takie jedzenie inne kupić i kino jest, i teatr, i telewizja, i wszystko jest. A my tu jak te kamienie siedzimy. Zniszczyć nie zniszczysz, ale czy my wesołe są? No widział kto kiedy wesoły kamień? W piekle się teraz pewnie smaży ta jedna psiajucha, co ten nasz Gásadalur założyła. A było jeść w Wielki Piątek mięso?! No było?! Gdyby, ścierwo, nie była taka łakoma, toby jej z Kirkjubøur nie wywalili. Przekleństwo za nią szło i na nas to przekleństwo dalej siedzi. A ja se mówię tak: jak ta Gaesa zżarła to mięso w Wielki Piątek i ją za to wywalili, i za to założyła naszą osadę, to przekleństwo dalej jest, bo oszukali nas z tym tunelem, bo to dalej przez nią. Ja tam jem mięso w Wielki Piątek, bo i tak lepiej czy gorzej nam nie będzie. Gorzej raczej. Telewizora nie mamy, a radio tak trzeszczy, że słuchać się nie chce. A o czym ja tam będę słuchał? O tym, że w Thorshavn bogate świnie żrą po restauracjach i że po ulicach chodzą turysty, co przypływają na Noraenie tam z góry i tak chodzą, i te swoje piniądze zostawiają jak te głupki jedne? Ech, szkoda gadać... My tu przerąbane mamy i choć woda na dole, to rybę mrożoną se możesz tylko załatwić. A jak se załatwisz, to musisz ją zaraz zeżreć, bo zanim doniesiesz, to ci rozmarznie. A moja stara się za kilka tygodni rozkraczy i jak ja to dziecko nazwę? No jak? Jak będzie dziewucha, to jeszcze dam radę, bo starą moją lubię, to jej dam po starej. Eivør jej dam. A jak chłopak, to jak?

Po sobie? Siebie samego to ja za bardzo nie lubię, to mu Leo nie dam. Kaj? Ten Kaj, sąsiad, to bimber pędzi. Po bimbrowniku, się rozumie, mu nie dam... A Christian to babę swoją bije, to też mu nie dam po nim. A Bergur to jest głupek i go kiedyś widzieli, co z owcami robił. Może Hans? Też nie, bo połowa chłopów ze wsi tak ma. Jens? Może Jens? Nie, Jens oklepane, a to moje pierwsze dziecko będzie, to trzeba by tak coś uroczystego. A może jednak dziewucha się urodzi, to nie będę się dużo zastanawiał. O, najlepiej jak Boga poproszę, żeby dziewucha się urodziła. Tak zrobię, bo z dziewuchami to jest dobre życie, a chłopaki zawsze coś wydumają, a potem z tego same kłopoty są. Na przykład te wszystkie świnie, co światem rządzą, to przecież chłopy. No właśnie, przez nich to same świństwa wychodzą i człowiek po nocach nie może spać, jak tu się coś w radiu dosłucha. Szkoda gadać. Musi być dziewucha, i już. No chyba że ten Bóg będzie mi chciał przykrość zrobić, bo z nim to nigdy nie wiadomo. Raz mówi tak, raz mówi inaczej. I bądź tu mądry, i znajdź tę drogę, co to pośrodku se biegnie i taka bezpieczna jest... No nic, będę się martwił, jak stara się już całkiem wyłoży i przyjdą baby, i odbiorą nowe życie na ten nasz padół bez obiecanego tunelu.

– Witam państwa serdecznie ze stadionu Idrottsplats w szwedzkiej Landskronie. Mamy dzisiaj dwunasty dzień września dziewięćdziesiątego roku. Pogoda dobra, a spotkanie, którego będą państwo świadkami, jest dosyć nietypowe. I to z trzech co najmniej powodów. Yyy, po pierwsze, obie drużyny spotykają się po raz pierwszy w historii piłki nożnej i nie tylko w eliminacjach Mistrzostw Europy, ale, yyy, ogólnie, yyy. Po drugie, nasz przeciwnik jest kompletnym nowicjuszem i do tej pory stoczył zaledwie kilka meczy międzypaństwowych. Yyy, przypomnę, że do tej pory zagrali tylko przeciwko Islandii, Grenlandii i Kanadzie, i dopiero teraz UEFA po raz pierwszy wyraziła zgodę na mecz w tak znaczącym turnieju. Yyy, a następny powód, dlaczego ten mecz jest tak egzotyczny, to taki, że obie drużyny będą kopać piłkę w trzecim państwie. Yyy, może państwo nie uwierzą, ale jedyny stadion u nich, który nadawałby się do rozegrania meczu o takiej randze, został zdewastowany w ostatnich dniach przez stado owiec, które pozbawiły boisko trawy. Ale to chyba ma miejsce dosyć często w tamtych rejonach, wszak naszym dzisiejszym przeciwnikiem jest reprezentacja Wysp Owczych. Yyy, w związku z tym incydentem władze piłkarskie Wysp zwróciły się z prośbą do Szwecji, aby ta wyraziła zgodę na spotkanie na jej terytorium.

Drodzy państwo, chyba nie przesadzę, jeśli powiem, że będziemy dzisiaj świadkami niezłego ubawu, a nie profesjonalnego futbolu. Otóż nasi przeciwnicy to amatorzy. Na co dzień zajmują się łowieniem ryb i w wolnym czasie grają w piłkę. Może taki układ, yyy, również odpowiada naszej drużynie pod wodzą Josefa Hickersbergera, doświadczonego szkoleniowca. Yyy, to będzie z pewnością spotkanie rekreacyjne, dające naszym chłopcom szanse na lekką rozgrzewkę przed trudami prawdziwego futbolu. Przeciwnicy wystąpią w białych koszulkach i błękitnych szortach, zaś numery na plecach mają w kolorze czerwonym. Yyy, to z pewnością nawiązanie do barw flagi Wysp Owczych. Podaję państwu skład drużyny przeciwnika. Yyy, z numerem pierwszym w bramce – Knudsen. Numer dwa – Jacobsen. Trójka – Hansen. Cztery – Danielsen. Z piątką znowu Hansen – to chyba bracia bliźniacy, he, he. Z szóstką – Mørkøre. Siedem – Nielsen. Osiem – Dam. Dziewięć – Hansen, ha, ha, proszę państwa, mamy już trzech Hansenów, może trojaczki? Z dziesiątką Reynheim i z jedenastką Mørkøre. Tak, proszę państwa, doprawdy nie mam pojęcia, jak będę komentował to spotkanie, bo okazało się, że zagrają w nich trojaczki Hansenowie i bliźniacy Mørkøre. Yyy, no nic, czego można życzyć w takich sytuacjach? Chyba tylko dobrej zabawy! Oddaję głos do studia.

3

– Drodzy rodacy, tu mówi wasz komentator ze Sjón-
varp Føroya. Witam serdecznie ze stadionu w Landskronie. Po wielu latach zachodów, stukania do drzwi
możemy czuć się dumni, że nasza reprezentacja na-
rodowa została dopuszczona przez międzynarodowe
władze piłki nożnej do spotkania eliminacyjnego Euro.
Naszym przeciwnikiem jest reprezentacja Austrii. Cóż
mogę powiedzieć. Przede wszystkim czujemy się za-
szczyceni, że pierwszy raz w historii naszego małego
narodu mamy okazję wystąpić w tak prestiżowej imprezie i zagrać z tak doświadczonym przeciwnikiem.
Z przykrością muszę stwierdzić, że nie możemy ich
gościć u nas w Thorshavn, ale sami państwo wiedzą, że
nie dysponujemy stadionem klasy, która zadowoliłaby
władze UEFA. Mam nadzieję, że w najbliższym czasie to
się zmieni i w przyszłości będziemy w stanie rozgrywać
spotkania międzynarodowe u nas na Wyspach. Chciał-
bym raz jeszcze podziękować braciom Szwedom za pomoc w tym, że dzisiaj tutaj jesteśmy i możemy zagrać
ten tak ważny dla nas mecz. *Heja Sverige!!!* Nasi przeciwnicy występują w czerwonych koszulkach i białych
spodenkach. Numery na plecach mają białe. Podaję państwu skład drużyny przeciwnika pod wodzą utalento-
wanego Josefa Hickersbergera. Z numerem pierwszym
na bramce Konsel. Z drugim Russ. Trójka – Pecl. Numer
cztery to Hartmann. Numer pięć – Streiter. Z szóstką

Peischl. Rodax występuje z numerem siedem. Osiem – Linzmaler. Z dziewiątką Polster. Numer dziesięć Herzog i z numerem jedenastym Reisinger. Tak, moi kochani, oto jedenastka, z którą przyjdzie nam stoczyć straszny bój. Nie obawiam się tego słowa, bo to będzie bój. I nie ma tu żadnych tajemnic, bo przecież gramy z zawodnikami klasy światowej, zawodowcami. My, rybacy z dalekich wysp, jesteśmy ciągle amatorami. Nie ukrywam, że remis zero zero byłby dla nas wielką wygraną. Ale jak się sprawy potoczą, będziemy świadkami za chwilę. A tymczasem oddaję głos do naszego studia w Thorshavn.

4

Dzisiaj dwunasty dzień września. Leje. Tu zawsze leje. Nie pamiętam jeszcze dnia, żeby nie lało. Pan Bóg se leje na te wyspy. Bo co, nie jest to tak, że jak stwarzał ten cały świat, to se strasznie łapy w ziemi ubabrał, no i ta ziemia mu za paznokcie weszła, no i go strasznie uwierała, więc strzepnął łapy nad oceanem i z tej ziemi, co mu spod paznokci wyleciała, jesteśmy my, znaczy te wyspy? A już z tej najgorszej ziemi, co mu wyleciała, jest nasza Vágar. A najgorszym miejscem na Vágar jest nasza wioska, znaczy Gásadalur. A w tej wiosce mieszkam ja i kilku innych, i czekamy na ten tunel. Na dziecko też czekam. A dzisiaj moja stara ma straszne bóle i rano mi powiedziała, że to będzie dzisiaj. No to już pół dnia minęło i te inne u niej siedzą, a ona stęka, to sobie wyszłem porozmyślać, no i mi zaraz ten Bóg i ten tunel do głowy przyszedł, no i ten mecz, co dziś grają nasze chłopaki w Szwecji. Tylko żem nie zrozumiał, czemu oni grają w tej Szwecji z Austrią. To nie mogli u nas? U nas przecie też jest boisko. Durnoty jakieś. Nasze chłopaki to rybaki, a jak wiadomo, rybak nie lubi latać, a oni ich tym samolotem tam odwieźli. Ciekawe, czy rzygali? Tak se chodzę obok domu i tak se myślę, i jakoś dalej tak se myślę, że to będzie dziewczyna. Znaczy, musi być dziewczynka, bo ja do tej pory nie wymyśliłem imienia dla chłopca. Ale se tak myślę, że jeśli mnie Bóg będzie chciał pokarać i mi chłopaka ześle, to niech se sam na niego imię wymyśli. Jak się z ogonkiem urodzi, to se będzie leżał w kołysce, a ja się na niego tylko lipić będę i jak jemu będzie na nim zależeć, to i imię mu da. I tak se chodzę, i aż mnie nerwy biorą, bo ona jeszcze nic nie urodziła. A może se pójdę nad urwisko, co tam przy domu będę łaził, babom przeszkadzał. Jak się urodzi, to i tak nie ucieknie zaraz, bo jak? Znaczy jak to dziecko troszku później zobaczę, nie tak zaraz, to może i dobrze. To ja się przejdę nad to urwisko, co ja tam będę słuchał tego babskiego jęczenia. Idę se tak, idę nad to urwisko, wszędzie te gęsi, i tak se myślę, że jak będzie kiedyś koniec świata, to do nas nie przyjdzie. A czemu? Bo u nas był i jest koniec świata od zawsze. No to jak do nas nie przyjdzie, a do innych przyjdzie, to znaczy, że my przeżyjemy, a oni nie. No to może ten poród mojej nie będzie na marne. Nie?!

5

– Tak, drodzy państwo, drużyny wyszły na murawę. Za chwileczkę będą odegrane hymny. I zacznie się zabawa. Myślę, że to egzotyczne spotkanie, yyy, będą długo państwo pamiętać, bo oprócz tego, o czym mówiłem wcześniej, to gramy ten pojedynek, yyy, z państwem, które choć ostatnio zaczęło posiadać swoją narodową drużynę, ma flagę i nawet własny hymn, który już za chwilę usłyszymy, a dowiedziałem się też, że posługują się własnym językiem, to tak naprawdę gramy ten mecz z czymś, co nie istnieje, bo Wyspy Owcze to część Danii. Kolonia, by tak rzec. Widzę z trybun powiewające flagi farerskie, widzę czerwone skandynawskie krzyże w błękitnych otokach na białym tle i już słyszymy powolną muzykę, to hymn Wysp Owczych. Zawodnicy poruszają ustami, są przejęci. Yyy, proszę państwa, ja im się nie dziwię, to może być nieustanny szturm na ich bramkę, to może być zatrważająca ilość bramek. Widzę też nasze flagi, ale jest ich mniej, dużo mniej. Ostatecznie nie jest to spotkanie, które swoją rangą mogłoby przyciągnąć liczne rzesze naszych kibiców. Mam wrażenie, proszę państwa, że ten farerski hymn nigdy się nie skończy, jest bardzo długi i monotonny. Bramkarz przeciwnika jest ubrany w czarny strój z pomarańczowymi naszywkami, a na głowie, nie uwierzą państwo, ma małą białą czapeczkę z pomponikiem. Ha, ha, pewnie włożył ją z przyzwyczajenia, bo słyszałem, że tam, daleko nad Atlantykiem, strasznie wieje. Ufff, hymn się skończył, teraz nasz.

6

– Tak, dziękuję zgromadzonym w studiu w Thorshavn, pozdrawiam wszystkich na Wyspach. Właśnie odsłuchaliśmy hymny państwowe. Zawodnicy podają sobie ręce i za chwilę usłyszymy gwizdek sędziego, który oznajmi rozpoczęcie spotkania. Nie wiem, jak państwo tam przed telewizorami i radioodbiornikami na Wyspach, ale ja jestem tak podniecony, a z drugiej strony tak wystraszony, że mam tutaj ze sobą w budce komentatorskiej środki na uspokojenie jakby co.

7

– Yyy, proszę państwa, tego się nikt nie spodziewał, mamy początek drugiej połowy spotkania, a wynik jest dalej taki, jaki był. Zero zero. Nie wiem, czy to taka taktyka naszego selekcjonera, żeby nie zmęczyć naszych graczy, ale widać, że jeśli to taktyka, to tutaj zupełnie się nie sprawdza. No i do tego ten ich bramkarz. Wprost niebywałe, że przy takim szturmie naszej drużyny na jego bramkę nie wpuścił ani jednego gola. Oczywiście, inicjatywa jest, jak by to rzec, yyy, cały czas w nogach naszych chłopców, ale to wprost zadziwiające, że nie udało im się do tej pory strzelić ani jednej bramki...

8

– Jest sześćdziesiąta minuta spotkania. Nasi cały czas utrzymują remis. Ja państwu mówiłem, że remis zerowy to będzie dla nas wielkie osiągnięcie. Widzę, że nasz bramkarz Jens Martin Knudsen jest już bardzo zmęczony, bo choć Austriacy szturmowali jego bramkę, to nasz chłopak w białej czapeczce na głowie, jak do tej pory, odpukać, nie dał się ani razu. Ale, zaraz, zaraz, akcja przenosi się na połowę przeciwnika. Podanie do Nielsena. Nielsen, Nielsen! Hann Skorar!!!!! Haaaaaannnn skorar!!!!! Nielsen skooooooooooooooooorar!!!!! Jest sześćdziesiąta pierwsza minuta spotkania. Torkil Nielsen z numerem siódmym zdobywa historyczną bramkę dla Wysp Owczych. To wprost niewiarygodne. Ja też w to nie wierzę, ale tak, to prawda. Hannnnnnnnnnnnn Skoraaaaaaaaaaaaaaaaaaar!!!! Wybaczą państwo, ale muszę zażyć te tabletki, które mi żona dała.

9

– Yyyy. Yyyyy. Yyyy.
Sędzia odgwizdał koniec meczu. To koniec, zapamiętajcie tę datę. Futbol austriacki osiągnął dno.

10

Te ludzie całkiem powariowali. Może coś się mojej starej stało? To człowiek był w naturze z Bogiem se pogadać, nad urwiskiem w ciszy se posiedzieć, a one latają po wsi jak zwariowane. Ten od bimbru całkiem ogłupiał, bo lata z kieliszkami i flaszkami i kogo zobaczy, to mu polewa. O, a tera biegnie w moją stronę. I coś krzyczy. Jezu, bimber, to całkiem rozum odbiera, uciekam do domu, muszę przed nim zwiewać, a może moja stara już co urodziła?

Tego się obawiałem najbardziej. Chłopak... Może lepiej będzie, jak znowu wyjdę i się jednak napiję ze smutku, bo co, jednak mnie Wszechmogący nie posłuchał. Lej, lej, nawet nie wiem, jak mu dać na imię. Torkil? Może i Torkil mu dam, ale najsampierw się upiję.

Poczekalnia

1

Głos z megafonu oznajmił, że pociąg przyjedzie z dziesięciominutowym opóźnieniem. Było chłodno. Jesień przyszła nagle. Chłopiec wytarł w rękaw mokry nos. Kobieta miała zaszklone oczy. Nie lubiła, kiedy wyjeżdżał. Wydawca uśmiechnął się czule, ale nic nie powiedział. Odwrócił głowę w prawą stronę. Podstawiony pociąg czekał na ten z Budapesztu. Oba składy mieli połączyć właśnie tu, na stacji Wiedeń Zachód, a w Salzburgu znowu podzielić. Przednia część jechała potem do Innsbrucku, tylna do Monachium. Chłopiec nie chciał się żegnać. Płakał.

Wydawca zajął miejsce przy oknie. Rozłożona na szybie dłoń kobiety przypominała mackę ośmiornicy, a palce podłużne przyssawki. Mały w geście zazdrości odsunął rękę matki. Pociąg ruszył. Po obu stronach szyby pozostały mokre ślady. Na monitorze pojawiła się mapa z plątaniną niebieskich, czerwonych, zielonych i czarnych żyłek. Przed wjazdem do tunelu wysłał esemesa, zapewniając, że kocha. Po kilku minutach na seledynowym ekranie telefonu pojawiły się dwa słowa: JA TEŻ. Wyjął z walizki książkę. Kątem oka obserwował monitor informujący o czasie podróży. Za Linzem pociąg zmniejszył opóźnienie i pojawił się człowiek w uniformie.

– Zdążę na paryski?

– Powinien nadrobić. A jak będzie spóźniony w Niemczech, pan zapyta Bawarczyka. Zadzwonią. Francuz poczeka.

Odbił bilet i podziękował. Wydawca obejrzał okładkę, przeczytał noty krytyków i odłożył książkę na siedzenie obok. Próbował patrzeć przez okno. Mętne światełka migające gdzieś w oddali jeszcze bardziej potęgowały niepokój. Pociąg dojechał do Salzburga. Znowu zerknął na monitor. Wystukał numer.

– Mamy trzy minuty opóźnienia. Nie jest źle. Chyba zdążę. ...Słucham? ...Tak, tak. Ja ciebie też. ...No już, przestań. To tylko tydzień. Jeden mały tydzień. Najmniejszy tydzień. – Roześmiał się. – No przecież wiesz, że muszę. Taka praca. ...Jeszcze raz. Proszę, powtórz jeszcze raz, bo nie zrozumiałem. ...Oczywiście, że mu kupię. ...Nie zapomnę. Nie zapomnę. Pa. Pa. ...Ja też. ...Gorąco. Bardzo gorąco. Najbardziej jak można. Ucałuj go ode mnie. ...Tak. Zadzwonię albo wyślę esemesa. Śpijcie dobrze.

Pociąg ruszył. Wydawca uśmiechnął się pod nosem. W wagonie pojawił się niemiecki konduktor. Bawarski akcent miał w sobie coś z prozacu.

– Ten do Paryża odjeżdża z dwudziestego drugiego peronu. Jeśli zwiększymy opóźnienie, to zadzwonimy do nich. Poczekają. Zresztą nie tylko pan ma przesiadkę – powiedział uspokajającym tonem.

Dopiero teraz odetchnął i sięgnął ponownie po książkę. Miał wrażenie, że gnają z zawrotną prędkością. „Nazywam się..." Ale nie dokończył linijki, bo poczuł szarpnięcie i ból w kręgosłupie. Raptowna ciemność... Zapalcie światło! Halo! No co z tym światłem! Ktoś krzyczał. Nie miał pojęcia, jak długo trwał mrok. Minutę? Dwie? Dziesięć? Zupełnie stracił poczucie czasu.

– Drodzy podróżni! Z przyczyn od nas niezależnych opóźnienie zwiększyło się do dwudziestu minut, za co przepraszamy. Jednocześnie informujemy, że pociąg do Paryża będzie na państwa czekał i odjedzie z dwudziestego drugiego peronu. Za kilka minut dojedziemy do stacji Monachium Hauptbahnhof. Tym z państwa, którzy wysiadają, Niemieckie Koleje Państwowe życzą przyjemnego pobytu w stolicy Bawarii, a tym, którzy kontynuują, życzymy szczęśliwej podróży!

Głos dochodził nie wiadomo skąd. W wagonie zapaliło się światło. Pociąg ruszył. Wydawca wstał z miejsca, wsadził książkę do torby, włożył płaszcz i rozejrzał się. Pisk kół. Zatrzymali się. Jeden z podróżnych, w kapeluszu i o cygańskiej urodzie, nacisnął zielony przycisk, rzucając zdecydowanym tonem:

– Peron dwudziesty drugi! Szybko!

Kiedy dobiegli na miejsce, zobaczyli oddalające się światła ostatniego wagonu.

– Do diabła! I co teraz? – zapytała rudowłosa kobieta.

– Przecież miał czekać. Muszą nam jakoś pomóc – odparł człowiek w kapeluszu. Po chwili wyjął z kieszeni paczkę papierosów.

– Zapłacisz mandat.

– Mam to gdzieś – burknął, ale schował paczkę do kieszeni. – Mają tu pewnie jakąś informację, *service point*. Idziemy!

Była dziesiąta czterdzieści pięć, wszystkie biura na dworcu już dawno zamknięto. Rudowłosa chciała zaczepić człowieka w kolejarskim uniformie, ale ten przeszedł obok niej, jakby była powietrzem, jakby nie istniała. Ruszyli spod zamkniętych drzwi w stronę czegoś, co przypominało duży, oświetlony kiosk. Za pulpitem siedziała dziewczyna o anielskim spojrzeniu i głosie, który mógłby uspokoić największego choleryka.

– Państwo z wiedeńskiego pociągu? Tak mi przykro. Doprawdy, tak mi przykro, że się nie udało.

– Przecież miał czekać – powiedział ten w kapeluszu.

– Wiem, wszyscy o tym wiemy. Cóż, odjechał. Jest już za późno, ale w zamian możemy zaproponować darmowy hotel. Następny bezpośredni pociąg do Paryża odjeżdża o szóstej rano.

– A o której jest na miejscu? – zapytał wydawca.

– Kilka minut przed trzynastą.

– To za późno. Mam przesiadkę na dworcu Montparnasse o dwunastej trzydzieści.

– Nam też nie pasuje – wtrąciła rudowłosa. – Nie ma innych połączeń?

– O trzeciej siedemnaście odjeżdża pośpieszny do Dortmundu. W Mannheim macie państwo jakieś piętnaście minut. Pociąg przyjeżdża na dworzec Paris Est o dziewiątej pięćdziesiąt.

– Czy to możliwe, że wyjeżdżając prawie pięć godzin później... No dobrze, ale co zrobimy, jeśli ten do Dortmundu również się spóźni?

– Nie sądzę. Jest podstawiany na dziewiętnasty peron. Dwadzieścia minut przed odjazdem możecie zająć miejsca w wagonie. – Dziewczyna wręczyła podróżnym ostemplowane bilety wraz z trzema pomarańczowymi kartonikami. – Kiosk jest obok, tam wymienią państwo karteczki na ciepłe napoje.

Po chwili postawiła na pulpicie plastikowy kątownik z napisem PRZERWA i wyszła.

2

Poczekalnia była na pierwszym piętrze. Przez duże okna przedostawało się światło migających tablic informacyjnych. Ciepłe i czyste pomieszczenie wypełniały krzesła poustawiane w rzędy. Część z nich stała przy ścianach, część pośrodku sali. Kobieta o bladej twarzy, naznaczonej śladami silnego trądziku, nie zwróciła na nich uwagi. Miała na głowie coś jakby modry turban z tetry; kraciasta koszula, obcisłe dżinsowe spodnie i białe tenisówki zupełnie nie pasowały do modrej pieluchy. Na krześle z jej prawej strony leżała otwarta podłużna torba, z której wystawała lalka do złudzenia przypominająca żywego niemowlaka. Z lewej piętrzyły się dziesiątki starych gazet. Wydawca napisał esemesa. Trzykrotnie klikał „wyślij", ale telefon za każdym razem wydawał ostry dźwięk, informując, że wiadomość nie została wysłana. Do poczekalni wszedł młody Turek. Wyjął z plecaka śpiwór i rozłożył na podłodze.

Minęła północ. Pojawiły się następne osoby. Najpierw wytatuowany Azjata, który usiadł po przeciwnej stronie człowieka w kapeluszu, potem starszy pan z dużą głową, w przymałej marynarce. Wydawca próbował czytać, lecz pochrapywanie Turka rozpraszało go. Odłożył książkę. Dochodziła pierwsza. Do poczekalni wszedł dryblas. Usiadł przy oknie. Nie miał skarpetek. Zdjął buty i zaczął grzebać między palcami. Człowiek w kapeluszu z obrzydzeniem patrzył mu prosto w twarz, lecz tamten nie przestawał. A potem zawitał patrol policji. Dryblas momentalnie włożył buty, wstał i wybiegł. Policjanci podeszli do leżącego na podłodze. Turek pokazał pomięte kartki.

– W porządku – powiedział najstarszy rangą. – Ale tu nie wolno się kłaść, można wyłącznie siedzieć.

Około drugiej gruby punk w obcisłych bawełnianych spodniach, czarnej skórzanej kurtce i rozczłapanych martensach usiadł obok pana w przymałej marynarce. Rozłożył nogi, podrapał się po worku mosznowym i momentalnie zapadł w sen. Krótko po nim pojawiły się dwie dziewczyny. Usiadły naprzeciw. Punk, pogrążony w sennych fantazjach, ponownie dotknął krocza. Jedna z dziewczyn poczerwieniała. Druga wyjęła z torebki telefon. Zaczęła filmować okolice jego rozporka.

– Nieładnie – powiedział mężczyzna.

– Ja też tak myślę – dodała rudowłosa.

Ten w kapeluszu spojrzał na zegarek.

– Druga trzydzieści. Jeszcze pół godziny i będziemy mogli wejść do przedziału. Wreszcie. – Odetchnął.

Kobieta w turbanie wstała z miejsca, zapięła torbę z lalką, zbliżyła się do nich.

– Czy moglibyście państwo zaopiekować się na chwilę moim...

– Oczywiście – odpowiedziała rudowłosa. Zza szyby dwóch skinheadów podejrzliwie obserwowało chrapiącego grubasa. Gdy byli już w środku, nadmuchali papierową torbę. Wystraszony punk popuścił w spodnie. Zerwał się na równe nogi i wybiegł w panice.

– Czy ktoś dotykał dziecka podczas mojej nieobecności?

– Nikt niczego nie ruszał – odparła rudowłosa.

– Świeża prasa – powiedziała kobieta w turbanie. Położyła gazetę na krześle obok.

Wydawca wziął do ręki dziennik. Z niedowierzaniem przeczytał nagłówek: KATASTROFA POCIĄGU RELACJI BUDAPESZT–MONACHIUM!

Z zapisków Alza Heimera

Poniedziałek

Kochanie,

Nie mam pojęcia, dlaczego postanowiliście, że będę mieszkał w tym sanatorium. I znowu ja mam za to wszystko płacić?! Przecież dobrze wiesz, że życie tak podrożało. Uważam, iż nie stać nas teraz na takie luksusy, na jakieś ośrodki wypoczynkowe dla mnie, stanowczo protestuję, myślę, że to poroniony pomysł, abym tu siedział przez cały tydzień i wracał do domu na niedzielę. Zastanówcie się, proszę, bo jeśli do piątku nie otrzymam od was odpowiedzi, będę zmuszony wyskoczyć przez okno. Zupełnie przestałem pojmować ideę drzwi. Niby są, ale nie mogę ich otworzyć, nie mogę wyjść, właśnie z tego powodu wspomniałem o oknie. Proszę, myślcie o drzwiach, jak będziecie rozmawiali w najbliższym czasie z dyrektorem ośrodka. Coś trzeba z tym zrobić, naoliwić, zamek naprawić czy po prostu wymienić.

Kocham. Alz

Poniedziałe

Kochani,

Zupełnie was nie zumię. Przecież już kilka azy potarałem, e to nie ja podpaliłem firanki. Dlaczego zezygnowiście z tych niedziel w domu. Od dawna ostrzegałem przed zodzieami, aż przyszli i podpalili, musicie porozmawiać z policją, trzeba założyć podsłuch, trzeba być bacznym. Bardzo teraz kradną, utaj też, ciągle giną mi pieniądze, już chyba dwa porfele znikły. Podejrzewam tego łysego, co się przedstawia jako pielęgniarz, nie wierzę mu, to jest złodziej, co pielęgniarz by robił w takim dobrym hotelu, przecież to absurd. ak, to musi być złodziej, to on kradnie pieniądze, to on mnie okrada, zróbcie coś, bo wkrótce nie zostanie mi ani grosza na zapłacenie za jedzenie, już o napiwkach dla ludzi z kuchni nie mówiąc.

Ocham. Alz

Czartek

Ochani,
  Nie przejmujcie się ym płonącym tobusem. Rozmawiałem z nim i z lekarzem też. Yło bezpiecznie, tobus
ył zawieszony nad morzem, tak że jak spadł to zaraz
się sam ugasił. Kobieta, która podaje do stołu, też kradnie, wszyscy tu kradną, ale najgorsze jest to, że grasuje
u kot, ry gwałci kobiety, edna miała całe piersi drapane
przez niego, pokazała mi wczoraj w bikacji, glądało to
sznie, mam słów by opisa te any, o było sraszne, le koś
do przodu. Mogę się doczekać ąt.

Cham. Al.

Chaniwy rok

Strzekają, z armat, tat biją, co ja mam, się ję, i eszcze
te strzały i inne takie. Strach, strach, ciemno, ćmo i czo
mo. Skąd to to, na mo, i na co to o, uż czyło, i dobrze
bo nie sposób snąć, na knoć, i co wy nato, wy ewnie nic,
to ja uż będę i śmiał i grał i tam, w tym co ma na nie.

Ham.al.

Otek

Siedzę się sjedziję i myslu u tubje. Dzisiajk ni k tu am
bum i ja też ni ak, no k bum. Tera enś i mrz i ćmo i napu
napu, ale co at ki mam ylk olo od miejśka. To pum pum,
ale może się na sprychle nje wypierdolę. Alzheimery f
o kół i nima i toć tam i te. Włoch na noc i spuśja ale uj
mu f upę, uj jeden. Tla z tlenem se tla a tv też tla na tla.
Lodka ta sama mna i ćma ale grzeje. Fon leży s boku
i toćka na ma a ja na nią, jego, tego. Mas w botę nim, to
ja ci wodzenia i stkiego pszego i mania óg.

Am cię. Al.

Niec

Li i szno, am ił, pominam stko, le i ę, a o, i my i łe sze
ycie, stań s giem.

M ę. A

Spis rzeczy

Redaktor prowadzący: Dariusz Sośnicki

Redakcja: Jan Koźbiel
Korekta: Małgorzata Denys, Beata Wójcik

Projekt okładki i stron tytułowych: Jacek Szewczyk
Zdjęcie wykorzystane na I stronie okładki: © Fendis / Corbis
Fotografia autora: © Agnieszka Klimko

Skład i łamanie: Tekst – Małgorzata Krzywicka
Druk i oprawa: DRUK-INTRO S.A., Inowrocław

Grupa Wydawnicza Foksal Sp. z o.o.
00-372 Warszawa, Foksal 17
tel./fax (22) 646 05 10, 828 98 08
biuro@gwfoksal.pl
www.wab.com.pl

ISBN - 978-83-7747-931-5